出口王仁三郎　著

東北日記

六の巻

天声社　発行

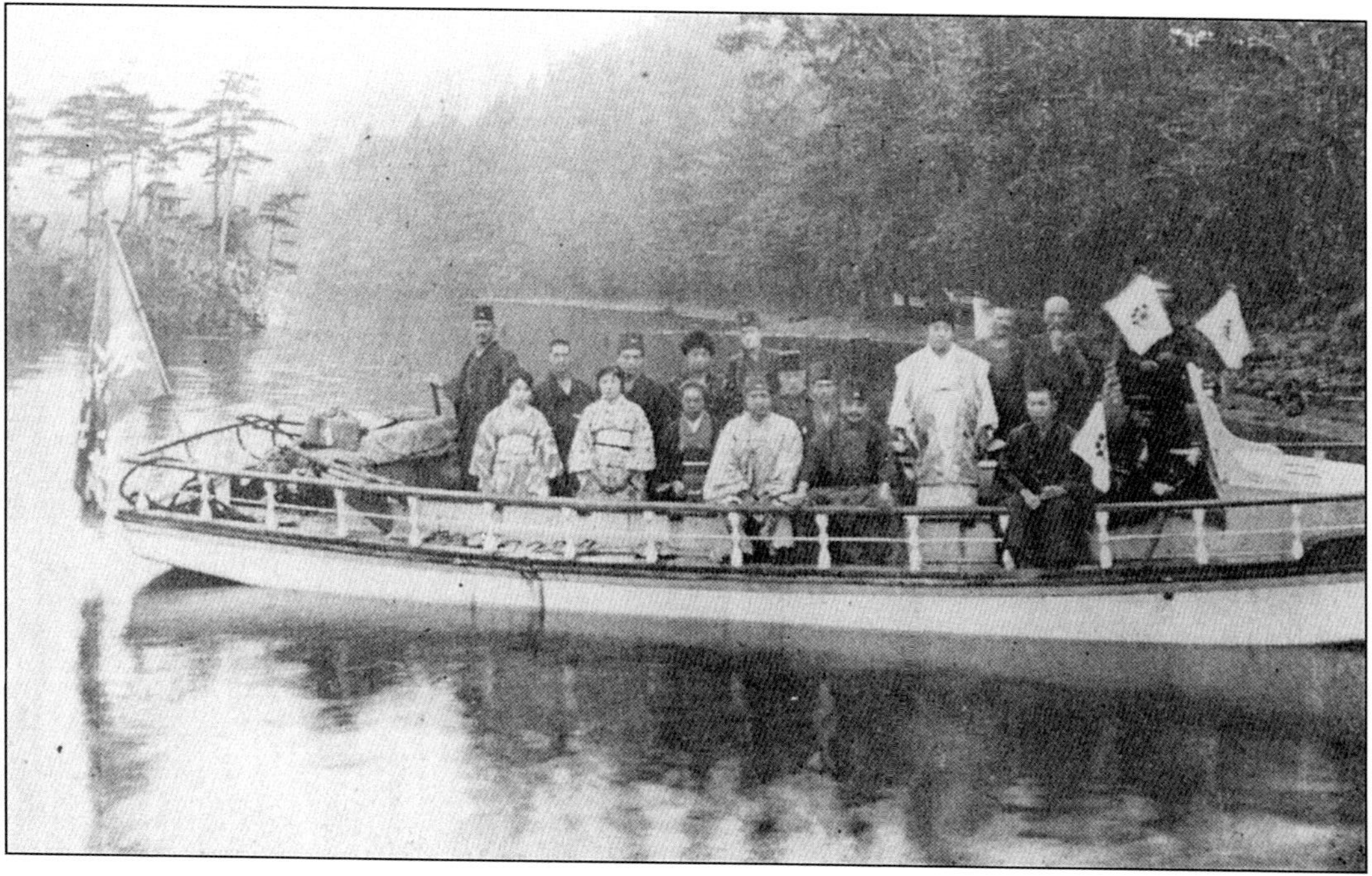

青森県　十和田湖上の出口聖師〔著者〕とその一行

十和田湖　奥入瀬　石合砥《いしあわせど》の淵《ふち》

十和田湖　奥入瀬《おいらせ》　石ヶ戸《いしけど》

聖師さまと旅に出ましょう！

――新訂版『東北日記』全八巻の刊行にあたって――

このたび開教百二十年記念事業「教典・教書の整備」の一環として、新訂版『東北日記』全八巻を刊行することになりました。この『東北日記』には、四国旅行の『二名《ふたな》日記』に続く昭和三年七月十一日から十一月七日のおおよそ四カ月もの間の、北陸、東北、北海道、関東各地を巡られた長途の旅の様子がまとめられています。

昭和三年三月三日、みろく下生を宣言された聖師さまは、精力的に全国巡教の旅を始められ、その記録を歌日記として書き残されました。聖師さまは、この全国巡教の目的を「国土を天柱につなぐ」ためだと語られています。実際、聖師さまのご巡教により、その土地土地のさまざまなものが清められ、救われていたであろうことが想像されます。そして、神さまとその土地との神縁がつながったことにより、ご神徳に浴した人々を中心に新たな大本信仰がいたるところで始まっています。また、第一次大本事件による偏見をなお残していた一般の人たちも、聖師さまに実際にお会いして、その大らかさにふれ自然と笑顔に和み、大本に対する誤解も解かれていきました。

聖師さまご自身が万年筆を手に書き留められたお歌の中には、各地方の麗々たる自然風物の描写がある一方、聖師さまらしいユーモラスな遊び心に満ちたものも多く、温かく慕わしいお姿に出会うことができます。また、それらのお歌の間には、風刺のきいた随筆や地方に伝わる伝奇、はたまた地方経済の活況ぶりなどが、近くで聞くかのように挿入されています。さらに、聖師さまの動静を報道する地方新聞記事を読むと、当時、聖師さまがどれほど一般から注目されていたかもよくわかります。

大本讃美歌の言葉に「我《われ》らの友なる瑞御霊《みづみたま》」とありますが、この歌日記を拝読することで、聖師さまと近しく一緒に旅をしているように感じていただけることでしょう。

この新訂版『東北日記』は現代の人たちにも親しんでいただきたいとの思いから、短歌は旧仮名のままとしましたが、短歌以外の文章やふりがなについては現代仮名遣いに改めさせていただきました。

昭和三年の聖師さまご巡教から九十年の佳節を迎え、本書が、各地における大本信仰のルーツを再発見していただく良い機会になれば幸いです。熱心な信徒の皆さまはもちろんのこと、次代を担《にな》う若い人たちにもぜひ手に取っていただきたく、お薦め致します。

平成三十年十一月四日　大本開祖大祭の日

大本本部

〈目　次〉

九月二十六日　於 盛岡 及 花巻 松雲閣　91

目次　終わり

東北日記　六の巻

昭和三年九月二十三日

於 十和田湖　安野《やすの》旅館

昨夜半より土砂降りの雨 朝に至るもなお止まず、風冷え渡りて綿入れの重ね着にようやく半日を送る。十和田神社の社掌（注）織田謙三、文芸家の森田王成氏および田中静一、同きく子氏わが居室を訪《と》い、十和田湖の話など交わしながら須臾《しゅゆ》（注・わずかの間）にして去る。隣室には、吉原香鹿《こうろく》氏はじめ宣伝使一同互選冠句に余念なく、時々笑い声起こり、降雨ますます激し。十和田湖を周《めぐ》れる山々雨に煙りて風もなく、湖面　波静かに磯を打つ。かくて午後三時五十五分やや長き上下動の地震ありて雨降り止む。窓を開きて湖面を見れば向こう山の影黒く水底に沈みて波ゆるやかに映ゆる上を青く塗りたる小汽船のさざ波分け行くさま詩趣に富み、一文字に引く水茎《みずくき》清く美わしく一日の休養には充分なりというべし。

【編者注】社掌…国の管理に置かれていた戦前の神社における神職の一つ。府県社・郷社では、今の宮司に当たる社司の下に仕えたが、村社以下ではすべての祭事・事務をつかさどった。

地震《ないふる》の襲ひ来たりて十和田湖の雨晴れの面《おも》鏡に似しかな

三つの湖《うみ》一つになりてとこしへに神秘伝ふる瑞の海かな

此《こ》の神秘説く真人《まさびと》は世の中に瑞の御魂をおきて他に無し

八郎の化身大蛇も男装の神の化身に退《やら》はれにけり

湖《うみ》の主大なる鰻《うなぎ》と身を変じ弥勒《みろく》三会《え》の暁待ちけり

古《いにしえ》の八岐大蛇《やまたおろち》の再生の八郎又《また》もや大蛇とぞなる

数万年謎を包みし十和田湖の光を放つ弥勒の御代かな

瑞御霊神秘の謎とみづうみを三つにわけつつ時待つ男装

八千尋《やちひろ》のそこひも知らぬ湖《うみ》深く包む神秘の開く神の代

日本一たぐひまれなる三ツ海に神秘を包む瑞御魂《みづみたま》かな

弥勒神出現待ちてそこ深く神秘包みし男装坊かな

南祖坊男子の僧にあらずして女人《にょにん》の僧の男装せし而已《のみ》

東北の国を巡りて伊都能売《いづのめ》の鏡の湖に逢ひし吾《われ》かな
素盞嗚男《すさのお》の神の造りし十和田湖は三つの御魂の鏡なりけり

○十和田神社において

十和田湖の浪《なみ》を鎮めて永久にうしはぎ坐《い》ます神社《かみやしろ》かな
岩根木根ふみさくみつつ大前に心すがしく太祝詞《ふとのりと》宣《の》る
日本武《やまとたける》神のみいづは神さびし杉の大樹に現《あ》れましにけり
神さびし古杉の下潜りつつ十和田の宮に詣でけるかな
千年の苔《こけ》むす杉の露あみて参道辿《たど》れば黄昏《たそがれ》にけり

千早振る神代のままの石道を危ふく登りて御前に詣でし

樹の雫《しずく》恵みの露と嬉《うれ》しみて信徒ともに詣でし夕暮れ

日の神の岩窟《いわや》の前に拝跪《はいき》して旅路の幸を祈る夕暮れ

七五三《しめ》張りし天の岩戸の奥暗く拝みけるかな開く神代を

金の神斎《まつ》りし岩窟の大前に積み重ねありぬ石の数々

山の神いつき斎《まつ》りし岩屋戸を閉ざして小石つみかさねあり

風の神岩窟《いわや》の前にをろがめば湖面を渡る科戸辺《しなどべ》の神

千引岩もちて固めし大黒や蛭子《えびす》の島は間近《まぢか》に浮べり

十和田神詣で帰れば沛然《はいぜん》と大雨いたりぬ安野屋の庭

○十和田湖臨時冠句

題　「十和田湖」（平調省略）

沓

十和田湖心の舌がないてゐる　雄峰

佳　調

十和田湖神がましますす遊園地　相馬

十和田湖天地の美を集めてる　奥富士
十和田湖神のつくりし神の庭　東月
十和田湖其《そ》の名其の名の岩と水　句楽
十和田湖借金しても来る処《ところ》　羊舎
十和田湖霊国その侭《まま》地に移し　香青
十和田湖自然の粋《すい》の生き写し　奥富士
十和田湖神国の状《さま》を物語る　雄峰
十和田湖生み出す基の女夫島　奥富士
十和田湖ああ天国か霊国か　羊舎
十和田湖身は天国にある心地　同
十和田湖絵にも文にも書き得ない　句楽
十和田湖よくまあこんなに出来たもの　羊舎

秀　調

十和田湖東北一の神秘境　羊　舎

軸

十和田湖神の造りし庭モデル　東　月

人

十和田湖真美を飾る神秘郷　奥富士

地

十和田湖絶対権威の風致なり　羊　舎

天

十和田湖美しいにも程がある　句　楽

追　加

十和田湖ほめるも百景月の海　瑞　月

十和田湖主の雄猛《おたけ》び地が震ひ　閑楽
十和田湖また来年もきて見たい　真如
十和田湖一目千金千丈幕　閑楽

○

大蛇の神秘を深く包める十和田湖に瑞の霊《みたま》の渡りしゆ、湖神大《おお》いに歓迎の意を表し稲妻の花火をしきりに揚げ、湖面を昼のごとく照らし雷鳴の祝砲を続け打ちにし、雨の太鼓を鳴らし欣喜雀躍《きんきじゃくやく》地を震《ゆす》り、天地一度に騒ぎまわりて更生の意気漲《みなぎ》る。

湖《うみ》の主も天地の楽《がく》を奏しつつ吾《われ》を祝する十和田の今日かな

雨の音雷の声休みなく轟《とどろ》く十和田の神秘の今日かな

数万年湖底に潜みし神霊の将《まさ》に世に出る時は来にけり

湖《うみ》の主も生言霊に解脱して弥勒《みろく》の神代に仕へ奉らむ

岩の神雨風の神荒れの神地震の神も弥勒を祝せり

千早振る神代の古き昔より伊都能売《いづのめ》の神待ちし主かな

惟神《かんながら》天地一度に開くなる十和田湖上の今日の神業《かんわざ》

吾待ちし神の歓び祝せんと天地一度に轟き渡れり

闇の世を隈《くま》なく照らす稲妻の光は神世の明かりなりけり

人の子と生れ出《い》でたるひと粒の種に花咲く時は近めり

神の世の貴《うづ》の柱と生れたる人の子今は神にありけり

凡人の眼には見えねど神の代の経綸《しぐみ》は深し十和田の湖

その昔変性男子《へんじょうなんし》の男装坊変性女子《にょし》を待てる十和田湖

今日こそは目出度き日なり湖の神の上天祝ひて諸神集《つど》へる

湖の主も今日を境に天《あま》かけり弥勒の柱と軈《やが》て生《あ》れなむ

時ならぬ雷鳴轟き地は震《ゆ》りて龍神天に昇る今日かな

厳《いづ》御魂瑞の御魂の昔より由緒の深き十和田の湖《うみ》かな

湖《うみ》の底金輪奈落の地軸まで届きて深き神秘かがやく

何人も神秘の湖水と言ひ乍《なが》ら真の神秘を未だ覚《さと》らず

今日こそは秋季皇霊祭日と遥拝《ようはい》したり十和田湖畔ゆ
祖霊殿秋季大祭はるけくも十和田湖畔ゆおがみけるかな
わだつみの向かつ山辺に雨けぶり浪《なみ》平らけくうす明かりさす
雨雲の空をつつみし今日の日の十和田の湖《うみ》のしづかなるかな
来年もまたたづねんと思ふまであこがれにけり十和田の景色に
見上ぐれば千丈幕の荘厳さ絵にも歌にもうつすすべなし
金屏風《びょうぶ》岩島山に立ち並び海の面《も》そめて夕陽に映えたり
葦原のけしきことごとあつめたる十和田の湖《うみ》は神の御苑《おんその》
たたふべき言の葉さへもしらなみの底にうつれる千丈幕かな

蓬萊《ほうらい》や高砂崎に生《お》ふる松のいろあざやかに夕陽映えたり

おしどりの島遠ざかり眺むれば一つになりて波の穂にうく

島山の錦おりなす晩秋の珍《うづ》のけしきのしのばるるかな

○

吾妹子《わぎもこ》を残して長の旅すればたまには思ひ出さぬでもなし

吾妹子のかはりになつてくれる奴ただ一人なし東北の旅

たぐひなき布袋《ほてい》の嬶《かか》も長旅の身には恋しくなりにけるかな

飛行機がもしこの地より通ふなら飛び帰るべし一夜なりとも

こんな歌詠めば世界の女等が目引き袖曳《そでひ》き気を揉《も》むなるらむ
うぬぼれの限りつくした恋歌にあきれて美人空を仰ぎぬ
ままならば十和田の湖《うみ》の水鏡小包となし妹《いも》におくらん
もえさかる恋の炎は八千尋《やちひろ》の十和田の湖もかわかしやせむ
億万石水をたたへし十和田湖の深きおもひをきみは知らずや
目的は本能寺なり恋人を妹の名かりて詠む夕べかな
天も地もわが恋歌にあきれたか地震雷稲妻ひらめく
稲妻の東の天より西天にひらめく如《ごと》しわが胸の火は
いかづちの轟く度に思ふかなわが妹《いも》の身につつがなきやと

吾妹子をしのびて恋の歌詠めば龍神よだれの雨を降らせり

恋の歌詠みて笑はぬ者はなし唐変木《とうへんぼく》にあらぬ限りは

女等きたなきものと言ひながら夜半《よわ》に観音開きおろがむ

阿呆《あほ》くさい観音開きの歌よめばきき耳立てる小せがれの奴

灰猫のやうな婆さんも恋歌をきけば心が若やぐといへり

梓弓《あずさゆみ》腰にはりたる老人も恋の矢を射し昔の強者《つわもの》

つれづれのままに恋歌を詠みゆけば心ありげにわが顔を見る

恥ずかしい事を知らないあばずれが臆面《おくめん》もなく恋歌詠むなり

千軍万馬たま散る刃《やいば》ぬき放ち龍宮城に迫る若者

草むらの穴太《あなお》に生《あ》れし吾《われ》なれば少しは臭い歌も詠むなり

雨の音旅寝の宿にききながらよだれの歌に夜をふかしけり

たはごとはたはごととして吾妹子の真に恋しき旅の宿かな

朝夕にナイスの面を見乍《なが》らもままにならぬは浮世なりけり

白雲の国の果てまで伴《とも》をしてのろけ聞くとは気の利かぬかな

七十日東北の旅かさねてもとびつくやうな美人なかりし

夕ざれば何か求めて飛びまはる蝙蝠《こうもり》に似し若き男子《おのこ》よ

吾妹子をしたひて恋の歌詠めば天地一度にゆすり出したり

○

一しきり雨ふりそそぎ一しきり雨やみの空更け渡りゆく

瑞みたま由緒も深き十和田湖の世に開くべき秋は来にけり

山川をどよもし乍ら十和田湖の主は全く天に登れり

その神秘秋の天地を動かしぬ（十和田湖）　香鹿

秋の雨晴れし木の間の湖水哉《かな》（同）　鳴球

◇九月二十三日　岩手毎日新聞記事

大本教主明日来盛

布教伝道のため目下北海道、樺太地方を巡歴中の大本教主出口王仁三郎師は予定の行程を終え、明二十四日午後三時三十六分着上りにて来盛し、当地信者多数の出迎えを受け、随行の岩田久太郎、吉原亨ほか三氏とともに自動車にて県社八幡宮に参拝し仁王萱場精一郎氏宅に入り、午後七時より桜城小学校において講演会を開催し、翌二十五日午前は萱場氏宅においても在住新聞記者と接見するはずであるが、当市滞在は二日間くらいなるべく、本県内各地における行動は未定であると。

九月二十四日　於　盛岡支部

夜来の稲妻雷鳴豪雨は全く晴れて朝の空紅の色を潮し風静かにして肌冷ややかなり。午前の十一時というに安野屋旅館を立ちいで、桟橋より例の神代丸に乗り込み船中に立ちて記念の小照を撮り、八郎蛇と男装坊が沼の主権を争い、ついに八郎蛇は戦いに破れ遠く八郎潟《かた》に逃げ延び、男装坊いよいよ主《ぬし》となりて弥勒《みろく》の出現を待つと伝うる神秘の十和田湖に決別すべき時は来りぬ。ああ神秘の湖よ男装坊よいざさらばしばし汝《なんじ》に別れん。

安野屋の主人其《そ》の他に送られていよいよ神代丸にのり込む

後の日の記念と一同船中に並びて小照とりにけるかな

もみぢ葉の照れる兜《かぶと》の島ケ根に烏《からす》二三羽飛び交ひ遊べり
蛭子《えびす》島大黒島よ左様なら弁天連れて是《これ》から帰るよ
神代丸蛭子香鹿大黒の鳴球布袋《ほてい》の梅風のせ行く
毘沙門《びしゃもん》の俺に借さぬか兜《かぶと》島鎧《よろい》の島と上下揃《そろ》へて
鎧島黒糸縅《おどし》紫の糸の緒写れり波の底まで
鎧島松の翠《みどり》の只《ただ》ならず蓬莱《ほうらい》島と並びて雄々し
地籠りの岩に登りて湖《うみ》見れば風光一入《ひとしお》絶妙なりとふ
地籠りの岬に小波《さざなみ》打ちよせて静かに浮けり水鳥の影
尾の上松紅葉《もみじ》したる下陰に睦まし気なる鳩番《はとつがい》居《お》り

六方岩老いたる松の下陰にちらちら照れる櫨《はぜ》紅葉かな

岩壁を背にして樹《た》てる一本の傘松高し岸低き汀《みぎわ》に

千年の松枝たれて万年の巌《いわ》に苔《こけ》むす亀ケ岬かな

かいつむり紫の波潜りつつ浮きつつ遊ぶ権現《ごんげん》岬かな

面白き老松湖面を覗きつつ岩壁高き権現岬かな

島山は山姫錦織りなして秋の湖面を染むる今日かな

一塊《いっかい》の真白き小岩汀辺《みぎわべ》にしるく映えつつ小雨そぼふる

赤松の老樹苔生《む》し松岬の汀にはえて湖の水蒼《あお》し

庭《てい》運《うん》岬見る間に船は葭谷地《よしやじ》の葭生《お》ふ浦に進み入りけり

汀辺に独り大空摩しながら雄々しく立てり夕暮れの松

雑木の梢《こずえ》すかして御倉《おくら》半島眺むる風致殊に妙《たえ》なり

鵜《う》の島の只《ただ》一つ松岩の上に立てる姿の瑞々しきかな

岩を打つ波の秀《ほ》白く龍ケ岬進めば又《また》も雨の戸開けり

浪《なみ》凪《な》ぎし三角の浦に起伏する岩の形の風雅なるかな

もみぢ葉の水底深く照りはえて波風もなき静の浦かな

中山岬日の出の松の影深み緑の波の漂ふ美くし

水底に赤松の陰うつろひて眺め妙なる千鳥ケ浦かな

かいつむり千鳥ケ浦をわがものと思はせぶりに安く浮べり

鴛鴦《おしどり》の岩を浮べて紺青《こんじょう》の波にうつらふ菖蒲《あやめ》の岬かな

赤石浦《あかし》赤き蝋燭《ろうそく》岩の上に二本の赤松青く茂れり

燭台《しょくだい》岩小さけれども常磐木《ときわぎ》の一本清く波にかがやく

枝振りの奇《く》しき姿を水の面《も》に落して清き千鶴ケ岬かな

大鳥の翼を左右にひろげたる如《ごと》き松生《お》ふ千鶴ケ岬かも

岩壁の高く並べる綾の浦の葛紅《つたくれない》に水底彩《いろど》る

小町岩今日も錦の晴れ衣《ぎ》きて今業平《なりひら》の船迎へ待てり

小町岩御代が浦輪に映え乍《なが》ら業平岩と差し向かひ居《お》り

君ケ代の岩紅に映え乍ら千代の松ケ枝翠《みどり》したたる
浜ケ浦茂みの森の奥深く山烏《やまからす》啼《な》く長閑《のどか》な湖《うみ》の面《も》
岩壁の立ち並びたる大浦を渡れば又《また》も小雨《こさめ》ふりしく
一本の大杉立てる占場《うらないば》の鉄索の橋高く架《か》かれる
変わりたる岩も無けれど弓の浦を矢を射る如く船は馳《は》せ行く
山姫の清く研《みが》きし十和田湖の鏡の面《おも》を辷《すべ》る船かな
金屏風《びょうぶ》千本松も近づきて山姫覗《のぞ》く鏡の海かな
唯《ただ》一つ取り残されし岩島の松に苔《こけ》むす猿子岬かな
凄《すさ》まじき刃先揃《そろ》へて立ち並ぶ剣の岩ケ根波切り進む

金屏風高くかこひて物騒な剣の岬が突き出《い》でて居り

金屏風岩彼方此方《あちこち》と破れつつ貧《びん》屏風とぞ成りにけるかな

半月も遅れて来たらと思ふかな錦に映ゆる十和田の景色を

蛭子《えびす》像立ちたる如《ごと》く見ゆるかな頭尖《とが》りし烏帽子《えぼし》岩山

八郎の大蛇の血潮いつまでも残りて赤き五色岩かな

赤い血と黒い血潮を大蛇奴《め》が出しよつたのか切り口ただるる

千丈幕両手に捧《ささ》げて此《こ》の雨を防いで呉《く》れる奴は無いのか

おちこ岩うつとこ岩や三室岩近くに浮べるかいつぶりかな

千丈の幕引き回し仲の良き鴨眠岬《かもねむりざき》波間に浮べり

常磐木《ときわぎ》の松の一本紅葉して五色に映ゆる神代浦かな
女夫《めおと》松日暮らしの岬次々に見やりつ千丈幕の下行く
もみぢ葉のちらちら見えて老松の眺め涼しき八雲岬かな
果《は》てしなき千丈幕の岩壁に暇《いとま》を告ぐる今ぞ惜しけれ
子《ね》の口の桟橋《さんばし》仄《ほの》かに目に入りて浪《なみ》の穂高く立ち初《そ》めにけり
曲線美柔らかき肌あらはして十和田湖包む山波すがしも
刻々に船桟橋に近づきて名残惜しまる十和田の湖《うみ》かな
山の上《え》に白雲立ちて湖《うみ》の面《も》に小雨そぼ降る今日の旅かな
恙《つつが》なく十和田の湖を乗り越えて帰らむ身にも振り返り見つ

和田津見の神の守りに神代丸浦安らかに渡りけるかな

久方の雲間を漏れて秋の陽《ひ》は十和田の湖《うみ》の波にきらめく

東湖の浜辺に並ぶ人の家はトタンぶきにや白く光れる

神代丸噸《トン》数聞けば運転手わからぬと答《い》ふわからぬ男子《おのこ》よ

何事も神秘の湖と聞くからに船の噸《トン》数も神秘なるらむ

子の口の桟橋はつきり見え出したアア仕方ないさらば十和田よ

風致林四方《よも》にかこめる十和田湖の眺めわが目に離れんとぞする

喇叭《ラッパ》飲みしたるサイダー空瓶を湖中に捨てたり鳴球宗匠

鵜《う》の鳥の浮きつ沈みつ波の穂に戯る状《さま》の詩的なるかも

折角に呑《の》んだ小魚の鵜の首をしめて吐かせる現代相かな

尾樽部《おたるべ》の浜辺の里の屋根見えて汽笛かしまし神代丸かな

子の口に無事一行は上陸し待てる四台の自動車に乗る

十一時清月梅風佐藤氏と同車し乍《なが》ら子の口を発《た》つ

十和田旅館子の口後に入瀬川天淵橋を渡りてかけ行く

一行十八人奥入瀬川に沿い原始林に覆われたる坂道を疾駆《しっく》しつつ獅子《しし》の岩、銚子《ちょうし》の大滝、玉簾《たまだれ》、双竜、雲井、姉妹、女夫《めおと》、白糸、細引、白布などの滝の荘厳なる風光や、阿修羅《あしゅら》、三乱《さみだれ》、白銀《しろがね》、九十九島《くじゅうくしま》、紫明《しめい》の渓流、石ケ戸《いしけど》の旧跡、不動岩、馬門岩《まかどいわ》、屏風《びょうぶ》岩などの勝地を車上より望見しながらようやくにして焼山《やけやま》の宿場に達し、休息もせず川の流れに従いて法身国師（注）の隠棲《いんせい》（注・世をのがれて静かに住むこと）所といい伝うる五庵川原《ごあんがわら》の公孫樹《いちょう》の下路《みち》に車を待たせおき、古桑《こくわ》の杖を力に坂道を約一町（約一〇九メートル）ばかり登りゆけば古びたる木の鳥居あり。公孫樹の下に建てる古き小さき祠《ほこら》は扉もなく木製の鎗《やり》の穂先に明神と記したるもの、蜘蛛《くも》の巣に囲まれ祠の中に倒れ居るのみにて、実にお粗末極まるものなり。天恩郷の高台の大公孫樹を四、五本一つに束ねたるごとき大樹にして、乳柱長くところどころに垂下し、古色蒼然《そうぜん》たり。

これより元来《もとき》し坂道を下り再び自動車に揺られながら午後零時四十分、三本木の安野旅館に安着し一同昼飯を共にし、二時二十分再び乗車。古間木《こまぎ》の駅に至れば、盛岡より宣伝使桑畑鶴松氏、出迎えのためすでに駅前にあり。

同二十八分発車す。ここより東北分所の佐藤雄蔵、西津軽支部の長谷川清一、下北支部の菊池広、青森支部の相馬久治、石井福太郎、西津軽支部の奈良源太郎、石井豊徳の諸宣伝使は別れを告げて帰り行くこととはなりぬ。

【編者注】法身国師…鎌倉時代の臨済宗の高僧。五庵河原のイチョウは法身国師の手植えと伝えられ約七百年の樹齢。青森市の天然記念物に指定されている。

○三本木　安野旅館にてよめる歌四首

雨上がり泥濘路《ぬかるみみち》を自動車に揺すられながら三本木に入る

どことなく軽き疲れに襲はれて眠たくなれり胃タンク充《み》たして

赤黄色鶏頭《けいとう》の花の咲く見れば天恩郷の花壇偲《しの》ばゆ

白き蝶《ちょう》只《ただ》一つ来て鶏頭花《けいとう》にたはむれ狂ふ三本木の宿

○

古間木の駅より七人宣伝使吾《われ》見送りて家路に帰る

茅《かや》の原 右と左に眺めつつ南をさして走せ出《はい》だしたり

小山田の小丘の間に連なりて黄金彩《こがねいろど》る稲の穂の波

落葉松《からまつ》の植林長く連なりて限りも知らに山野ひろがる

美しき芝生の丘に放養の馬数知れず遊べる豊かさ

松林野に黙々と見えながら白々咲けるソバの花かな

野辺広く田畑開けて黄ばみたる秋の景色の豊かなるかな

相坂川《あいさかがわ》濁流滔々《とうとう》漲《みなぎ》りて水勢迅《はや》く凄《すさ》まじきかな

丘の上に松青々と栄えつつ心すがしき陸奥《むつ》地《じ》の旅かな

下田《しもだ》駅矢を射る如《ごと》く打ち過ぎて早くも尻内《しるうち》駅に入りけり

尻内の駅覗《のぞ》かんと窓明けて思ひがけなく天窓《あたま》打ちけり

三の戸町信徒の松尾第蔵氏夫人と共にプラットに出迎ふ

何神の社か知らず百津桂《ゆづかつら》いや太《ふと》茂り赤鳥居あり

桃色の芙蓉《ふよう》樹の花薫りつつ黄金《こがね》の野辺をひた走り行く

水清き流れのほとり広々と建て並べたる北高岩《きたたかいわ》駅

谷ケ岳遠くかすみて峰の尾に白雲来往する状《さま》床しも

豆や黍《きび》畑青々と連なりて黄金の稲の田あちこち混《ま》じれる

野の川の水瀬《みなせ》に下りて里の男《お》の魚釣る姿の長閑《のどか》なるかな

剣吉《けんよし》の駅を過ぐれば人の家の軒に桃色芙蓉《ふよう》花咲く

黍《きび》刈りし畑の上を夕烏《ゆうがらす》群がり飛べり剣吉の野辺

白岩の断層長くつらなりて老い木の松の痩せたるが立つ

何川か知らず昨日の大雨に赤く濁りて流るるが見ゆ

林檎《りんご》畑枝もたわわに地を摺《す》りて実れる秋の豊かなるかも

金田一《きんたいち》駅よりいよいよ岩手県管下に入ると客の語れる

三《さん》の戸《へ》の駅より見れば谷ケ岳白雲の衣纏《まと》ひ立つ見ゆ

三の戸の清き流れを打ち渡り山間進む汽車の迅《はや》きも

柿の実は梢《こずえ》に色付き栗の実ははじけて赤く映ゆる野路かな

ナイアガラ滝を縮小したるかと思ふばかりの広き滝見ゆ

四方山の峰けぶりつつ夕陽の影も真赤く染まりけるかな

川の瀬に簀《す》の子を囲みゴリを漁《と》る男の子四五人あちこちに立てり

松山に包まれ乍《なが》ら進み行く清き流れをいくつも渡りて

豆畑に裸の男只《ただ》一人頬冠《ほおかぶ》りして汽車行くを見る

板の橋荷馬の渡る後《うしろ》よりやさしい仔馬《こうま》したがひ歩める

金田一過ぐれば四方山高みつつ家並みしげく野の面賑《もにぎ》はし

丹波路にあらぬ陸奥《みちのく》の旅をして今年の新栗蒸したる食ひたり

浪打《なみうち》の山眼に入りて岩手県北福岡の駅に入りけり

万斛《ばんこく》の涙湛《たた》へし恋の海の浪打山の高くもあるかな

浪打山又《また》の名末の松山と聞きて偲《しの》ぬ百人一首を　（注・浪打山）

十文字川の流れに影うつす末の松山浪《なみ》にしたれり

丘の辺に優しく咲ける女郎花《おみなえし》見上ぐる間もなく走る汽車かな

山間を縫ひ行く汽車の窓暑く汗にじませて歌日記書く

渓《たに》川の流れ隔てて向かふ岸トタンの屋根の白々並べる

村中にこんもりと宮の森見えて一《いち》の戸《へ》駅に汽車這《は》ひ込めり

桐下駄の材料山と積み重ね広庭狭き一の戸の駅

【編者注】浪打山…ここで詠まれた山を特定できなかった。五の巻で登場する青森県浅虫の近くに、現在、浪打山（標高一三二メートル）がある。また、平成二三年の東日本震災と同じ規模といわれる貞観地震（八六九年）の折、津波のとどかなかった山として古今和歌集に枕詞として詠み込まれ、聖師様も百人一首を想い起された「末の松山」は、仙台市の山である。付録の巡行地図参照。

一の戸《へ》の駅には盛岡支部の萱場《かやば》精一郎、宮本支部の高橋吉三郎、紫波《しわ》支部の佐藤喜代子、日詰《ひつめ》支部の阿部庄次郎、鎌田住江子、湯本村の筑後源太郎、鎌田市五郎、湯口村の佐藤善三、稗貫《ひえぬき》支部の信者、新堀支部員ら出迎えあり、同車して盛岡市まで見送らる。たそがれ近づきて太陽西山に隠れんとす。

谷迫り陽《ひ》は山の上《え》に隠れつつ息さへ詰まるトンネルに入る

トンネルを出《い》づれば渓流淙々《そうそう》と飛沫《ひまつ》の中に馬洗ふあり

烏《からす》二羽川の瀬におり余念なく捨てたる魚の臟腑《ぞうふ》ついばむ

小鳥谷《こずや》駅過ぐれば山野にウルシの樹茂り合ひたり里も豊かに

岩壁の渓《たに》に架《か》けたる鉄橋を渡れば窓に強風の吹く

小鳥谷《こずや》野を進めば末の松山の連峰高く雲に聳《そび》えつ

白布を晒《さら》せし如《ごと》き渓流の眼下に見えてトンネルに入る

ソバ畑に中学生徒三四人並《な》み立ち汽車を見送る夕暮れ

黄昏《たそがれ》の幕下り初めし粟《あわ》畑に田人の鎌の光る夕空

落葉松《からまつ》の植林見えて谷深み滝津瀬の音高く響けり

小繋《こつなぎ》の駅に来たれば東南の空に薄々月かげの見ゆ

月の面薄く照りつつ月見草小繋駅に咲き出でてあり

わが庭に植ゑ度《た》く思ふ松の木の枝振り妙《たえ》なる数多《あまた》茂れる

山と山また山と山渓《たに》と谷いくつ越ゆるも同じ野路かな

蒼々《そうそう》と生《お》ひ茂りたる丘山の上に冴《さ》えたり十一夜の月

落葉松《からまつ》の林ながめつ野路行けば蛙《かえる》の鳴く音幽《かす》かに聞えり

芝の生《ふ》の丘に放てる馬の群れ静かに草食《は》む夕暮れの空

岩手山雲の冠をいただきて西に立つ見ゆ奥中山《おくなかやま》駅

黄昏の山野に独り月見草咲きほこる見ゆ闇を明かして

二等室窓悉《ことごと》く自惚《うぬぼ》れの鏡となりぬ夕暮れの汽車

粟《あわ》の束立て並べたる畑中に月光浴びて田人働く

月かげはいよいよ冴《さ》えて野路走る汽車より見れば並松清《すが》しき

路の辺《べ》に松並《な》み立ちて月かげを黒くおとせり人の頭に

夕闇の道路確《しか》とは見えねども並樹の松に夫《そ》れと知らるる

沼宮内《ぬまくない》町の灯見えて稍《やや》しばし汽車は早くも山裾を走《は》す

沼宮内駅に来たれば山迫り並樹の松原かそけくも成りぬ
こんな土地只《ただ》で呉れても要《い》らないと思ふ斗《ばか》りに荒れ果てて居《お》り
川口の駅を過ぐれば姫ケ岳月を宿してかすかに立つ見ゆ
只一つ灯かげまたたき姫ケ岳川の流れに月添へて浮けり
南部富士観武ケ原《みたけがはら》の高原も仄《ほの》かに見えて古摩《こうま》駅に入る（注1・古摩駅）
右左人家の灯影《ほかげ》見え初めて汽車は早くも古摩駅に在り
右左南部富士山 姫ケ岳向かひ合ひたる古摩の駅かな
闇の幕いよいよ深くとざしつつ何も見えなくなりにけるかな
大空の月黒雲に覆《おお》はれて窓外灯かげ一つだに無し

人の家の灯かげも見えぬ平原を馳《は》せ行く汽車のもどかしきかな

滝沢の駅の付近に貞任《さだとう》の由緒止《とど》むる安部の楯《たて》あり　（注2・貞任）

【編者注】（注1）古摩駅…好摩駅の間違いと思われる。

（注2）貞任…阿倍貞任《あべのさだとう》。平安中期、奥州《おうしゅう》安部一族の武将。前九年の役において、父、阿部頼時が戦死した後、一族を率いて戦いを継続し黄海《きのみ》の戦いで国府軍に大勝するが、国府側に出羽の清原氏が加勢して形勢が逆転する。その後、厨川《くりやがわ》の戦いで敗れ討たれる。享年44歳もしくは34歳と伝えられる。衣川の戦いにおいて、阿部氏の拠点、衣川の館《たて》より敗走する貞任に源義家は、着衣の経糸《たていと》に掛けて「衣のたては綻《ほころ》びにけり」と歌の下の句を叫ぶと、貞任は馬上から振り返り、味方の裏切りを察しており上の句「年を経《へ》し糸の乱れの苦しさに」と統率の乱れのあったことを詠み返したと伝えられる。

伝え言う、このあたり夕顔瀬橋の名所ありて、安部貞任敵軍に攻められ逃ぐるに当たり夕顔（注）に鎧《よろい》を被《き》せて敵を欺き難を免《まぬが》れし所なりと。

【編者注】夕顔…ここで言う夕顔は瓜のこと。瓜の実に顔を描き鎧を着せ伏兵を装わせた。

貞任《さだとう》の昔偲《しの》びぬ夕顔瀬橋の名所のありと聞きてゆ
盛岡の駅に漸《ようや》く着きにけり嗚呼《ああ》四時間の汽車の苦しさ

盛岡の駅に一行下車すれば支部長萱場《かやば》精一郎氏をはじめ萱場有信、笹倉直平、仙台第二分所より佐沢広臣、同ちか子、戸村重助、谷口皆吉の諸氏、富永支部より佐藤愛善、大崎支部より平野林兵衛、伊藤捨蔵、玉造支部より鎌田喜惣治、広淵支部より大崎昌吾、桃生支部より菅野義衛、須江支部より近藤正一、大塩支部より大崎良治、塩釜支部より松坂豊、柴田支部より水戸富治、黒沢尻町より大和春江、紫波《しわ》支部より高橋元治、熊谷与惣吉、菊池新三、菅原マツヨの諸氏、稗貫《ひえぬき》支部より佐々木文太郎、大川長十郎、石森佐太郎の諸氏、新堀支部より藤原善七、藤原賢治、村山七郎、長谷川タネの諸氏、花巻温泉より谷川コン、関野ヨシノ、青笹支部より菊池巳之助、佐藤初郎。上郷《かみごう》支部より菊池金蔵。宮本支部より浅沼留吉。千代《せんだい》分所より大槻貞一郎の諸氏代表として駅に出迎えられしほか当地の信者多数出迎えにぎわしく、直ちに自動車を駆けて仁王小路の萱場氏邸に入る。

吉原、岩田両宣伝使は、諸宣使とともに講演のため学校に出張し、夜十時、無事講演終えて帰り来たる。

邸内広く清く清雅なる萱場家に一行六人 宿を藉《か》ることとなり、静かに静かに天国の夢を結ぶ。再び暑気襲いきて二つ三つ蚊軍の声幽《かす》かに聞えぬ。

○

いつとても御健やかと聞きつればこの風早に嬉《うれ》しみまつる　吟月

恙《つつが》なくわが敷島の道歩む君の雄々しさ嬉しみにけり　閑楽

おぼしめせ八十日に近きこの日頃いくその思ひうらぶれてあり　吟月

八十日《やそか》日を重ねる旅の苦しさも慰まるかな天恩の花　閑楽

七十七旅の枕を重ねつつ今日盛岡の宿に安居す　閑楽

○

庭広く室又《また》広き家に寝て今日の疲れを忘れけるかな

聖地より送り来たりし山積みの書状鳴球宗匠読みけり

東京の落合氏より遥々《はるばる》と電話かかりぬ今日の夕暮れ

染めかけて二日見ぬ間の紅葉哉《かな》（十和田湖）　香鹿
天国の夢はさめけり萩芒《はぎすすき》（十和田帰途）　鳴球

◇九月二十四日　岩手日報記事

王仁三郎氏きょう午後来盛
信者寄進の国魂石で
霊感による月宮殿を建立

大本教聖師様出口王仁三郎氏は、本二十四日午後三時三十六分着上り列車にて来盛、直ちに自動車で県社八幡宮に参拝、祝詞を奏上したる後、仁王小路萱場《かやば》弁護士邸に入り午後七時より桜城小学校講堂の講演会に臨む。次第左の通り。

開会のあいさつ　萱場弁護士

大日本帝国は神国なり　岩田久太郎氏

健全なる思想　吉原亨氏

聖師講演

同一行は萱場邸に一泊し好晴なれば紫波《しわ》郡日詰《ひつめ》町、赤石《あかし》村、稗貫《ひえぬき》郡八幡《はちまん》、上閉伊《かみへい》郡上郷《かみごう》、宮守村の支部を訪問するはず、なお聖師来盛について萱場氏を訪えば、「大本教は両陛下を毎朝礼拝するおきてで、決して不敬にわたるがごときものでなく、各方面の有力者から後援を得て各所で盛大なる講演会を開いている。青森でも高女を開放して各校の生徒を聴講せしめた。昨年の秋から京都府亀岡町天恩郷に月宮殿をつくっているが、来月竣工するはずでこの建築は全て石をもってつくられている、この石は信者より寄進したもので国魂石と称している。岩手県からも赤石を上郷から寄進しているが、大きなのは二間にあまるものもある。また建築の設計は王仁三郎氏自らの設計で同氏が霊界にいって見てきたものを模倣したもので、霊感によってつくられたものだ。国魂石というのは生き石を信者が直覚したものを国魂石と名付けるものである。

なお支部訪問と花巻温泉行きは一行二十四日来盛とともに協議の上でとりきめるつもりだ」

九月二十五日　於　盛岡支部

昨夜、深更より降り出したる雨は朝に至るもなお止まず、庭の面に吹く風は涼しけれども、浴衣《ゆかた》一枚にて汗の出る蒸しあつさは、再び夏心地湧く。午前十時、宮城県下の宣使各自に達磨《だるま》の半切を頂き帰途につけり。天、霊両国より信書あまた来着あり。その内、記念となるべきもののみ、要を摘《つま》みてここに記入することとせり。

○

出口宇知麿書面の一節

九月十九日　水、晴、夕立あり

月明館（注1）より高天閣（注2）に登る石段の中央帯石据え付けを終わる。

月宮殿へ登る第一石段より第二石段の間の通路に稲田御影石をもって敷石を置くべく着手す。

今朝八時ごろ月宮殿玄関の四半石（桜御影の磨き）に紫色を多量に含む虹がアリアリと写り、実に崇厳かつ優美なりしと。これは日光もしくは雲の関係にはあらずやと東天を眺めつつありしに、東の空大公孫樹《いちょう》の上空に五色の雲影を発見せり。それにしてもこの敷石にハッキリと映し出せしことは不思議なり。

月宮殿の八咫《やあた》鏡の窓（ご神座横）には日月の象《かたち》に因《ちな》める世界的珍品ともいふべきガラスを外部の方にはめあるが、これに朝六、七時ころより八時ごろまで日光映ゆれば実にハッキリせる五色の虹をご神座付近に映し出し美しさ限りなし。

大祥殿のお給仕および受付は従来荻原氏および岡村氏が奉仕されていましたが、仕事の都合により当分秋岡亀久雄氏および藤本善男氏とがこれに代られて、荻原氏はしばらく宣伝部の書記、岡村氏は作業部に献労していただくことにいたしましたからよろしくお願いいたします。岡本梅林氏はしばらく郷里に帰っておられましたが、この夏の衛生掃除の折フトしたところから、聖師様の穴太にいらっしゃるお若きころ互評発句の選をして、これを自らお書き下さった一枚の半紙が現れ出ましたので、これを持ち、去る十五日天恩郷に参られました。前記の半紙は私がお帰りまでお預り申しています。

千島からお送り下さいました聖師様と岩田さんよりのお葉書がようやく本日到着しました。誠によき記念と存じます。なお北明分所よりお送りいただきました林檎一籠とお写真（樺太の豊原の分）三葉は確かに受け取りました。あわせて厚く御礼申し上げます。

山部よりの岩田さんのお手紙および名寄《なよろ》支部よりのお写真二枚落手。

本日、大沢氏（北夕社）が参られまして、かつてお託し下さいました北夕社員山川斎氏より献納のお石（澎湖島産）と五十嵐石松氏より献納の茶器とを持参されましたのでお受け取り申しました。

いかなる天候の加減ですか、明光殿（注3）前のつつじに蕾《つぼみ》がたくさん出来まして中にはすでに花を開いたものさえあります。

萩の花がホロホロと散り出しました。光照殿（注4）便所のそばの美しい百日紅《さるすべり》の花も盛りが過ぎたようです。モウ秋がまいりました。

ブルガリアのストーヤン・ジュゼフ氏よりこの度宣伝使試補にご任命されたるに対し、聖師様に満腔の感謝を捧げる旨手紙がまいりました。

東北日記第七冊、確かにお受け取りいたしました。よろしく御礼言上願います。

今後、愛善新聞は新刊は五十部か百部送ることとしたいと思いますのでよろしくお願い申します。

【編者注】（注1）月明殿…第二次大本事件以前に天恩郷にあった建物。以下（注4）まで同様である。
参道から見て光照殿の背後に位置し、聖師さまの亀岡におけるお住まいどころとされていた。光照殿とともにその跡地には、現在、天恩郷の教主公館である朝陽館が建てられている。

（注2）高天閣…初め神集殿として建設され、後に聖師さまの天恩郷における神務室・応接室として使われるようになる建物。この跡地に、現在泰安居がある。

（注3）明光殿…文芸運動を推進する機関、明光社が置かれ、毎月、雑誌「明光」を発行していた。現在、その跡地は、教学碑などが建てられている。

（注4）光照殿…人類愛善会総本部、世界宗教連合会東洋本部、日本道院亀岡行総院、世界紅卍会日本行総院の各事務所が置かれてあった。現在、跡地には朝陽館が建てられている。

○

井上総裁よりの書面

粛啓《しゅくけい》　長途御恙《おんつつが》もあらせられず、内地へご帰還と承り一同慶賀の至りに奉在候《たてまつりありそうろう》。ご寸暇もあらせられざる折からたびたびご芳翰《ほうかん》（注）を賜り恭《うやうやし》く頂戴《ちょうだい》仕《つかまつ》り候。四方、梅田宣使を大宣伝使にとの御仰《おおせ》まさに相承《あいうけたまわり》御辞令お取次申上置《もうしあげおき》候。ご神光光被《こうひ》の急速なるは誠に嬉《うれ》しき極みに奉在候。各方面よりの瑞報に接し一同勇み立ち居《おり》候。

中にも欧州における状況はすばらしき旨、西村、小高両氏より詳細申来《もうしきた》り候。エス大会など僅々《きんきん》七、八日の間に左記四カ所の支部新設され申《もうし》候。

一、モハメッド・ルハニ氏ペルシャ国レヒト市大本支部
一、ダリューシ・ネムセチ氏ペルシャ国ダブリッツ市大本支部
一、ジョン・レスタ・リュウイン氏米国ニューヨーク市愛善会支部

その他ブルガリア国ズブニカに一カ所

大会中の人気は両氏に集中し、始終引張凧《ひっぱりだこ》にされ撮影さるること幾十回にて小高氏の驚嘆ぶり見るごとき感有之《これあり》候。

東京方面のことも上の方はすでに確定いたし候も、ただ途中にお

けるある事情のため遷延《せんえん》いたしおるとの旨、御田村氏より申来《もうしきた》り候。ご入京の際、詳細申し上ぐるはずに御座《ござ》候。瑞祥会支部も六百六十六カ所と相成《あいな》り候。唯今のところ穴太支部が最終に候（小幡神社境内の新立の社務所にご鎮祭）。

私事 山陰より帰綾以来とかく引き籠もり勝ちにて恐縮千万に存居《ぞんじおり》候。何卒《なにとぞ》 御許《おゆるし》 被下度《くだされたく》 奉願《ねがいまつり》候。当今はお陰様にてほとんど快復、近々の内 出勤させていただけることと存《ぞんじ》候。右 御伺迄《おんうかがいまで》 如此《このごとく》に御座候。恐々頓首《とんしゅ》

九月二十日　　留五郎九拝

聖師様　近侍下

【編者注】 芳翰…書き手を敬ってその手紙をいう語。

○

陸軍中将 貴志氏より

謹啓　炎暑の砌《みぎり》ますますご多祥大慶に存居候《ぞんじおりそうろう》。　過日は推参 種々ご教示を蒙《こうむ》り御礼申上《もうしあげ》候。　さて参殿仕《つかえ》候 中谷武世なるものは小生親族者に有之《これあり》、 従来 民族問題を研究するとともに、 昨年 上海における民族会議にも出席、 また興国同志会を起こして思想善導に苦心しおるものに之有《これあり》候。　本年「アフガニスタン」における民族会議に関しても考究仕居《つかえおり》候間 何とぞご引見の上、 ご教諭を賜り度《たく》 御願《おんねがい》申上《もうしあげ》候。　先ず御礼かたがた

八月二十六日　　　貴志弥次郎

出口先生

○

志士 中谷武世氏より

謹啓　時下残暑酷《きび》しく候処《そうろうところ》 尊台 益々ご清祥之段 慶賀此《これ》事に御座候。陳者 先般プラタップ氏と同道ご声咳に接し候以来一向《ひたすら》にご無音に打過ぎ恐縮至極に存居申《ぞんじおりもうし》候。 今般所用有之《これあり》和歌山へ帰郷の途次重ねてご示教を仰ぎ度《た》く参殿の心組《こころぐみ》に在罷《あり》候処《ところ》 生憎《あいにく》先般の暴風雨にて京都より亀岡行きの列車不通と相成りかたがた帰京を急ぎ居《お》り候《そうら》ひし為《ため》 其《その》意を遂ぐるを得ず、 遺憾千万に存居《ぞんじおり》候。 従《より》て貴志老人より委託せられ候書簡も御手渡し申上ぐるを不得《えず》、不本意乍《なが》ら同封ご送付申上候間《あいだ》ご一覧披下度《くだされたく》候。　聖師には北海道 御巡鐸《じゅんたく》の由承り候処既《ところすで》にご帰殿に候《そうら》わば至急ご一報賜り度《た》く近日中拝趨《はいすう》の上今秋アフガン首都カブールにおいて開催せられ候《そうろう》アジア民族会議に関しご教示仰ぎ度《た》く存上《ぞんじあげ》候。　西村師にも宜敷《よろしく》ご鳳声願上《ねがいあげ》候　尚《なお》小生等《ら》主宰仕り居《お》り候《そうろう》全日本興国同志会盟報「日本主義運動」ご一覧を賜り候ことと存候《ぞんじ》　敬　具

九月六日　　　　中谷武世

瑞月先生侍史

○

中国北京　王天誠より

聖師　聖鑑《せいかん》

謹啓　数日前に料外の二人が天誠を訪問に来ました。一人は朝鮮、一人は露国の籍で元より知らない人で御座いました。訪問の目的を聞くと、答えるのにある人すなわち南米古巴《キューバ》国人「列皮拉多《レピラド》」Repiladoという者と同行して露国より北京へ来ましたが、五カ月前より重病に罹《かか》り非常に困難中であると。天誠これを聞いて、有名の漢医趙完（信者）を呼び、同行して列皮拉多を訪問して診断した結果重症の脾胃腸病で漢薬をもって治療することに定めた上、天誠が試みに神様の道を説き生神の救世のことを聞かせましたところ、この「レピラド」が非常に喜んで言うに、「私もインドにおいてある生仏より霊学を受教して深いところまで覚りかつ前四大聖人が降世（弥勒仏のこと）しておられるも信ず」と、天誠は非常に嬉《うれ》しくなり、細かいところまで宣伝をなし、直ちに鎮魂を施した結果、本人が特別の感覚がありまして、進んで自筆で数言を神様に書いて上げる（別紙のごとし）のみならず、病気全快の暁には天誠と同行して聖地参拝に参ると定めました。この人は三十三歳の若い人で非常なる聡明な人間で、五種の語学に精通し、大なる思想すなわち社会救済の目的をもって医科大学を卒業した後に各国を遊歴中で、その兄弟らはその国にて外交大臣やら医師やら相当な地位を占めておると言いました。他はとも角も南より遠く中国に来て、わがあなないの道に入り、確かなる信者にもなり、その病気も必ず全快することになり、また不思議にも数国人が互いに知らない間で、意外にも訪問して互いに導くことになったのがはなはだ奇妙なことでございまして、特にその形状を申し上げるのほか、この人が只今《ただいま》金も十分無いので薬石《やくせき》（注・病気の手当て）は天誠の友人より助けるし、鎮魂は天誠より毎日熱心に施しますが病気が重いので（腹がはれました）特別に神様の隔地ご鎮魂を御《おん》施すべく謹んで懇《ねんごろに》願うのでございますからいかがでございますか、はなはだ恐れ入りますが有用の人生でございますから、如斯《かくのごとく》願上《ねがいあげ》奉る。ご機嫌を謹んで伺い、これで筆を止めて謹具。

旧七月二十五日　　　　　　　　天誠　謹白《つつしんでもうす》

○

今日、萱場《かやば》氏方に届きありし電信の重なるものは

東京の落合円次郎氏より

今朝着いた、樺太にてお談《はな》しの件鈴木前内相と話せり、結果良し、

お帰りに是非東京駅ホテルにお立ち寄り待つ　落合円次郎返待つ。

白川の支部長神守氏より

聖師様ご機嫌伺い奉る、神守。

下北半島支部長より

ご巡教を深謝す、下北大湊両支部長。

聖地の某氏より岩田氏へ向けて名歌が届いた。

馬から落馬して鞍《くら》から落ちて股倉はいたくらとなり足はいたあしと

なりたる氏へ

いさましき乗馬姿の二将軍その勲《いさおし》や千代にくちなん

とありければ、岩田氏は直ちに

勇ましき乗馬姿の写真には落馬したよな貌《かお》はうつらず

と返したり面白し。

彼岸栗今朝も三つ四つ拾ひけり　荘月

萩《はぎ》の花こぼれて道を埋《うず》めけり　同

小春日につつじ咲きけり明光殿　同

天恩郷萩の盛りとなりにけり岐美《きみ》待ち顔のあしたしほらし　同

明光の御殿の庭の秋萩は今をさかりと咲き匂ひつつ　同

彼岸栗蒸して食ひけり蝦夷ケ島《えぞがしま》　閑　楽

根室路や十里一眸《いちぼう》萩の花　同

仲秋に桃の青きを見たりけり　同

陸奥《みちのく》の野辺を彩る萩見れば偲《しの》ばるるかな天恩の郷　同

根室路に十里萩丘つらなりて笑ひ初めたり仲秋の空　同

有り難しいたつき癒《い》えて明光の文にいそしむ身とはなりけり　花　水

虫けらの身に迄《まで》及ぶ月の露　同

君病むと聞きし時より天地に祈りけるかな早いやせませと　閑　楽

月の露受けて万有よみがへり　同

岐美《きみ》まさぬ此《こ》の淋《さび》しさは百千年《ももちとせ》経るとも遂《つい》になれ得ずと思ふ　文　楽

秋去れば何処《いずこ》も同じ山に野に淋《さび》しみの幕襲ひ来たれば　閑楽

蝦夷《えぞ》奥地神のいさをも伊都能売《いづのめ》のこころ津軽に凱旋《がいせん》の岐美　閑月

御行程けはしき峰も越えさせて安く天降りませとただに仰ぐも　同

萩盛る虫の音《ね》清き神苑を御旅の岐美にたてまつり度《た》き　同

出《い》でまして七十余日の月今宵《こよい》猶《なお》幾十日かく仰がむか　同

天地の神の守りに恙《つつが》なく蝦夷地の旅を了《お》へにけるかな　閑楽

幾日も荒野荒海打ち渡り神の光を伝へてしかな　同

萩《はぎ》の生《ふ》の十里に続く根室地の花の盛りを岐美に見せ度き　同

百日に余る旅路を重ねんと思へば淋し秋の夕暮れ　同

月冴《さ》えし抱月棟のひそやけく神秘の色に輝けるかな　閑月

すがすがし月照る宮よ御旅の岐美みそなはしく思《おぼ》しまさむを　同

昇り行けば爽やかな鳥居月はえて岐美坐《ま》さばやと又歎《まただん》じけり　同

抱月の棟にかがやく月かげはわが村肝の心なりけり　閑楽

うつし絵の月宮殿は見ながらも心許《もと》なき旅にある吾《われ》　同

一日も早く月宮聖殿の影拝み度き旅の空かな　同

昨夕わが一行の乗り来りし急行列車は、金ケ崎《かねがさき》踏切にて軍用自動車と大衝突の結果、死者一名、重傷七名、軽傷六名を出したる大事を惹起《じゃくき》したりという。アア、危うかりし上野急行の夜の列車よ。遭難者に対して気の毒の至りなり。

盛岡市は旧南部侯の居城にして岩手県下第一の都会である。現在の人口は約四万に達し県治の中心地となっている。中津川《なかつがわ》を隔てて不来方《こずかた》(注)城跡あり。裁判所の門内には高さ七、八尺(約二・一～二・四メートル)、長さ二丈(約六メートル)余り、幅八、九尺(約二・四～二・七メートル)もある大岩石の間から発生している桜樹の幹太くして根の周り五尺(約一・五メートル)に余りすこぶる奇観なりという。中津川の北岸には内丸の盛岡公園があり、中央の小丘を瓢山《ひさごやま》と称し、境内に招魂社あり。また県社八幡神社あり、延宝七年(一六七九年)南部行信の建立せしものという。また南部氏の祖霊を祭りたる県社桜山神社あり。このほか三つ石、見馴松《みなれのまつ》、聖寿寺、報恩寺など見るべきものあり。

【編者注】不来方…不来方は盛岡の地の旧称で、少なくとも五百年以上に渡って使われていたとみられており、現在も盛岡の雅称として使われる。その名の起こりは、この地を荒す鬼が三石神社の神によって追放されるとき「二度と来ない」と約束したからという。また県名である岩手の名も、証文として岩に手形を残したところよりと伝えられる。

本日午後より岩手日報の森佐一、岩手新聞社長の宮永佐吉、同社笹川福松三氏のほか田鎖岩太郎、笹倉直平、小野寺きの子の諸氏来訪せり。

朝の空今日も曇りて庭の面《も》に雨しとしとと降りてありけり
美《うるわ》しき湯殿に入りて顔の髯《ひげ》剃《そ》り落しけり例の如《ごと》くに
宮城県宣使一同打ち揃《そろ》ひ別れの挨拶《あいさつ》陳《の》べ帰り行く
写真班二人来りてめいめいにわが小照を撮りて帰れり
求道者ボツボツ吾《われ》を訪ね来て面《おも》映え勇み帰りてぞ行く

盛岡の新聞記者子午後三時三人われを訪《と》ひて帰れり

　午後四時四十五分、志賀和多利氏 来訪あり。帰途、浦和の氏が新邸に宿泊すべく約して別る。夕映《ゆうばえ》の空ようやく晴れて東天雲赤く風冷やかにして肌にしみ渡る。

鉄道省志賀参与官夕方に自動車飛ばして吾を訪ひけり

○

　大國伊都雄氏に

月の宮天地に清く暉《かがや》かむ君が尽くせし勲《いさお》も共に

大國夫人へ

天巻のとれた祝ひにかへつたらおごつておくれ土産はなけれど
ふくれ面なほつて先《まず》は安心したおたふく風の見舞いでなくして
須世理姫《すせりひめ》おきやんの君は大国《だいこく》の二銭銅貨を大切になされ
六枚の絵葉書一度におくつたらふくれた面も細くなるだろ
天下一品きやらもんつれて旅に出てコウちやんだつたらナアと思つた
東北の旅を重ねて見たけれど岐美《きみ》にまさつたきやらもんなかつた

○

平田篤胤《あつたね》翁（注）の墓を見て

千早振る神代の誠明かしたる聖《ひじり》の岐美の奥津城《おくつき》たふとし

【編者注】平田篤胤…江戸後期の国学者。国学の四大人《うし》の一人とされる。同じく四大人の一人、「古事記伝」を著した本居宣長の「没後の門人」を自称した。しかし文献考証を重んずる師とは異質な説によりしだいに国学を宗教化して、平田神道とも言われる神学体系を作りあげた。古事記・日本書紀などの古伝に差異あるを正すべきとして、海外の神話までを参考に『古史成文』を著す。また、死後安心論の意図をもって、天地開闢や幽冥界を論じた『霊《たま》の真柱《みはしら》』など、著書多数。晩年、幕府の命により秋田に隠居したが、平田学派は地方の豪農や神官らに広まり、幕末の尊皇運動に大きな影響を与えた。書名をあげての言及があり、聖師さまは、一通り読まれていたことがうかがわれる。

○

珍しき山川渡り海越えて神の御教《のり》を伝ふる吾かな

天高く風すみ渡る秋の日の淋《さび》しさ迫る遠の旅かな

数百里の旅を重ねて思ふかな異国を開く人の苦労を

かりがねの便りやせむと思ひつつ七十七日早暮れにけり

北海の旅を終わりて盛岡の宿に一日を安居せしかな

草枕七十七夜を北国の空に送りぬ天地の恵みに

度々の御文のたよりうけながら返しする間もなき北の旅

東北の旅して思ふ遠国のまめ人たちの清き心を

日本一の風景の地と聞えたる神秘のこもる十和田の湖《うみ》かな

風光のいともすぐれし十和田見て長旅の苦をしばし忘れつ

西南東と北の旅をして偲《しの》ぶは母の安否なりけり

昔より神秘にとめる十和田湖は一度は訪《と》ふべき勝地なりけり

風光の妙《たえ》なる神秘の十和田湖を汝《なれ》に見せ度くおもふ秋かな

船車馬にまたがり日本の三分一をまたげ見しかな

十文字川に姿を浮べつつ末の松山波にただよふ

涼しさの日に加はりて天恩郷帰らむ吉き日待ちつつぞ経《ふ》る

天恩郷萩の盛りを余所《よそ》にして蝦夷ケ島根に山萩を見し

千丈の崖より落つる白布の滝をし見れば心も涼しき

世の人は斯《か》かる風景も白糸の乱れて落つる状《さま》に似しかな

千丈幕五色の岩や金屏風《びょうぶ》掲げて十和田の水鏡照る

その昔三つの御魂の造りたる鏡の海の錦照る秋

素盞嗚《すさのお》の神の休みし御倉山に金銀屏風の風致かがやく

日本武《やまとたける》神の守らす十和田湖は三つの御魂の水鏡かも

陰暦の今日は八月十二日御空の月は殊《こと》にさやけし

誕生を祝せし日より一カ月早過ぎにけり東北の旅

わが生《あ》れし十二夜の月打ち仰ぎ故郷しのびて何か淋《さび》しき

○

若山牧水の訃を聞きて

年若く鬼籍《きせき》に入りし牧水の歌の才能惜しまるるかな
敷島の道を開きて暗《やみ》の世を照らせし歌の澄める牧水
身はたとへ朽ち果つるとも言霊《ことたま》の清き光は千代を照らさむ
一度《たび》は親しく逢はまく楽しみし若き歌人惜しや世になし

○

十和田湖を見ざれば天下の勝景を語らむ資格なしと思へり
時じくに稲妻ひらめく十和田湖の神秘は深しむらさきの水
啄木《たくぼく》を産みし地にして朝寒き（盛岡）　香　鹿

白萩の乱れに滝の音遠し（花巻温泉）　鳴　球

◇九月二十五日　岩手日報夕刊記事

出口師は急行で来盛

出口王仁三郎師は二十四日午後六時半の上り急行で来盛することに変更、講演会は予定通り午後七時から桜城校で開かれる。

◇九月二十五日　岩手日報記事

王仁三郎師ゆうべ来盛

直ちに桜城校で講演会開催

大本教聖師出口王仁三郎氏は、二十四日午後六時四十五分、盛岡駅着列車にて十和田より来盛。ただちに七時半より開催される桜城小学校の講演会に臨んだ。

九月二十六日　於　盛岡及び花巻　松雲閣

朝晴れの空清く太陽の光、庭の面に照り輝けども、さすがは北国、寒暖計まさに五十八度（注・摂氏約一四・四度）に降り冷気を覚ゆ。盛岡市は原敬氏平民宰相の生地にして、地方民は原氏に対する憧憬《しょうけい》ふかく、大慈寺にはその墓ありて政友会員の参拝するもの多しとのことなり。

○

啄木《たくぼく》を偲《しの》びて

歌に詩に敷島の道開きたる聖《ひじり》世になし秋の夕暮れ

鈴蘭《すずらん》の原としきけど白樺《しらかば》の林のみなる啄木が里
悲しみはふる里の野に三つ栗の中津の川に偲《しの》ぶ啄木
啄木の思はぬ便りにふる里の岩手の山も雨にかすめり
白樺の林すかして南部不二見ればすがしも秋の夕映え
ふる里の桜は春に匂へどもあはれ啄木の姿見えなく
啄木が年ふる里にかへり来てなつかしみたる岩手山映ゆ
不来方《こずかた》の城址に遊びし啄木の姿見えなくなりし秋かな
啄木が昔学びし中学の庭の表に秋風渡る
啄木の故郷訪《と》ひし夕暗散るや紅葉内丸大路に

盛岡高松池遊園地より岩手山を望む

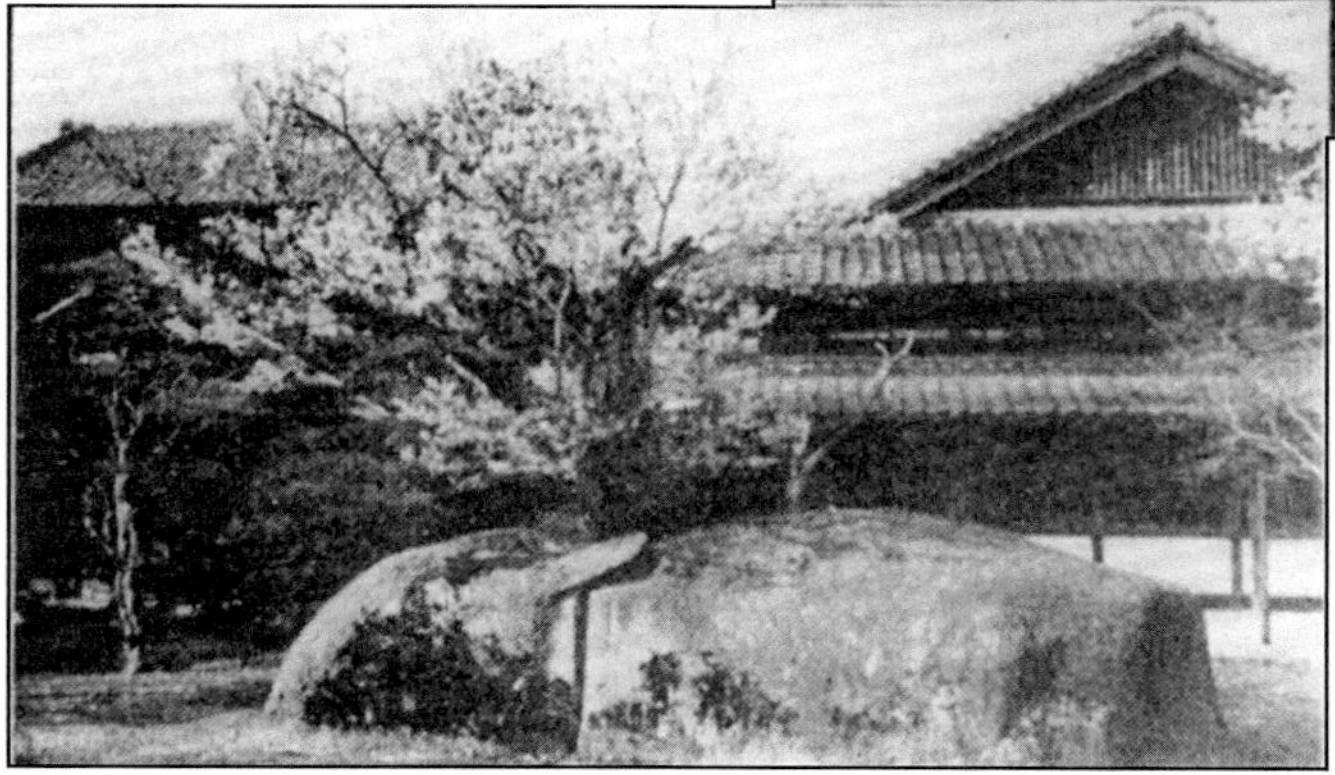

青森市　石割桜

○

称《たた》へ言《ごと》いは手の山の朝晴れに心洗へり旅にある吾《われ》

大慈寺御明《みあか》し暗うまたたきて原氏の奥津城《おくつき》世に光るなり

南部不二背景とせる厨川《くりやがわ》の柵址《さくあと》の眺め雄大なるかな

石割りて生《お》ふる桜もあるものを励めざらめや日本男《やまと》の子は

天地の晴れ渡りたる今日こそは中津の流れかがやき充《み》てり

称《とな》ふべき言葉も知らぬ高松の池の風光さやけき秋かな

古《いにしえ》の城の名残のありありと神さびて清し岩手公園

公園の景色さへ見るひまもなく二日経にけり盛岡の旅

日の本の国の果てとは言ひながら開けたるかな盛岡の市

東北の旅の疲れを洗はんと今日花巻の温泉に行く

限りなき広き原野に牛馬の放養したる姿清しき

馬しかの多き世の中しられけり盛岡にある馬市を見て

大祥殿修行最中ながむれば五百羅漢《らかん》の陳列なりけり（注・大祥殿）

南部富士 白樺林 野の面《おも》もすぐれて清し岩手の眺めは

【編者注】大祥殿…第二次大本事件が起こるまで、講堂として使われていた天恩郷の建物。

○

岩手県会議員 村上順平氏は、俗称西郷南洲と呼ばるる人にして、岩田氏の旧友なり。一昨夜の両宣伝使の講演を聞きて共鳴し、同氏居住の地において人類愛善会支部を設置すべく、本日来訪あり。体躯《たいく》長大にして筋骨逞《たくま》しく一見偉人の風あり。いずれにしても各地有力者の共鳴賛成多くして支部の増設さるるは末楽もしきことなり。

来盛の記念と庭におりたちて萱場《かやば》氏家族と小照を撮る

五十八度気温降りし盛岡の空吹く風は肌冷えわたる（注・五十八度…およそ摂氏一四・四度）

盛岡市　萱場氏邸の庭にて　聖師さま

盛岡市　萱場氏邸における聖師さま一行と同家家族

写真師が黒布かぶりて庭の面《も》に立てる姿はバッタに似しかな

原宰相歌人啄木出《い》だしたる盛岡市街にわかれてぞゆく

お守りをとりかくされて明眸《めいぼう》と小西郷があはを吹くかな

午後零時五十四分発列車に乗るべく萱場氏邸なる盛岡支部を立ちいで て停車場に向かう。一行六人のほかに桑畑鶴松、佐藤直文、藤原善七、田端さき子、大和はるゑ、村山千代、佐藤きよ子の三男四女同乗、花巻温泉に向かう。萱場氏一族、駅庭に見送らる。

盛岡の駅賑《にぎ》はしく立ち出《い》でて北上川畔走りてぞ行く

いただきの枯れし杉生《すぎう》のしげりつつ北上川の川風寒し

上姫山遠くかすみてわが汽車は仙北町《せんほく》の駅に入りけり
（注・上姫山…不明）

白雲に包まれ南部富士ケ根は惜しくも見えずなりにけるかな

黄金の波うち寄する田の面《おも》を見つつはしれば秋風清し

一つ家の軒に尾花《おばな》の白々と咲き乱れつつ秋ふくる見ゆ

野の奥に南昌山《なんしょうざん》や 東根の高くそびえて白雲のわく

東根の山の姿を眺むれば山北に見る富士に似しかな

広き野に林あちこち点々し人家のたてる矢幅《やはば》の里かな

田の畔《あぜ》に唯一本の若松の風に靡《なび》ける風情《ふぜい》すがしき

矢幅駅来たりて見れば桜木の高く大なる四五本立てり

白くはげし天然木の看板の淋《さび》しくたてる矢幅の駅かな

山屏風《びょうぶ》めぐらしながら黄金の波打つ野路を走るさやけさ

三本の大杉淋しく秋風にたてる樋爪《ひづめ》の城跡さやけし

紫波《しわ》御所のすみし樋爪の城跡は日つぎの皇子《みこ》の野立所となる

（注1・紫…／注2・樋…）

大演習気分漸《ようや》く漂ひて兵士のゆきかひ繁き今日かな

早池峰《はやちね》に白雲見えて汽車は早日詰《ひづめ》の駅に進み入りけり

【編者注】（注1）紫波御所…室町期に紫波郡（当時は斯波《しわ》郡）一帯を治めた斯波氏は、足利氏の血を引くとして貴ばれ「斯波御所」「奥の斯波殿」と尊称されていた。

（注２）樋爪の城跡…ここで言う樋爪の城は、現在の日詰地区を支配した斯波氏がこの地に築いた高水寺《こうすいじ》城と思われる。
斯波氏が隆盛を極めた頃は「斯波御所」と呼ばれていた。斯波氏滅亡の後は郡山《こおりやま》城と改められる。
紫波町には、この城跡とは別に樋爪館《ひつめだて》の城跡があり、平安末期から鎌倉初期まで、奥州藤原氏の一族、樋爪氏の居館であった。
現在、いずれも町の指定史跡となっているが、後者については、一三七頁の記述より判断するに昭和三年当時、跡地は確認されていなかったようだ。

日詰駅に入るや宣伝使阿部庄次郎、長沢とみ、鎌田トメノ、菅原さん子氏らの出迎えあり。

駅頭に阿部宣伝使まめ人等《ら》神旗打ちふり見送りてあり
秋の陽《ひ》の清く冴《さ》えたる野の面《おも》に馬にむちうちゆく男子《おのこ》あり
赤松の林あちこち茂りつつ秋陽すがしくはゆる野辺かな
黄金の田の面《も》を縫ふて常磐木《ときわぎ》の松の林のすがしき野辺かな

石鳥谷《いしとりや》駅に来たれば右手《めて》の方薬師の森のすがしくはえたり

当駅より晴山利吉宣伝使同車す。細川みや子氏は当駅にてちょっと顔を見せ、ただちに下車、家路に帰る。

面白き松の並木の連なれる南部街道の通ふなるらむ

何神の社かしらず青々と茂れる松の森にほの見ゆ

稗貫《ひえぬき》をシイノキと呼ぶ北国の人の言葉のわかりにくさよ

枝振りのよき松ばかりならびたる稗貫の野の秋の光よ

桜木の立ち並びたる構内のひろき花巻駅につきけり

午後一時四十分、花巻駅に下車すれば花巻温泉会社の役員前川喜太郎氏出迎え、休憩室に導きて茶をすすめらる。勝又六郎氏ほか左の諸氏の出迎えあり。長谷川新助、同これ、山蔭米蔵、伊藤茂八、同彦蔵、関野よしの、鎌田市五郎、関野のぶ、同義一、長谷川克巳の諸君。

以上の諸氏とともに電車に運ばれて四マイル（約六・四キロメートル）余りの温泉さして走る。早池峯《はやちね》の峻嶺《しゅんれい》遠く高く東方にそびえて白雲をかぶりわが一行を目送するに似たり。瀬川《せがわ》のそばに立てる樹木茂れる緑の丘は瀬川の城址にして比較的狭小なり。次に瀬川、北金矢《きたかなや》、松山寺前《しょうざんじまえ》の停留所を突破して温泉駅に下車、ただちに待ち設けたる自動車にのりて貸別荘地を越え、設備完全と称する当地における一等の旅館松雲閣に入る。ただちに松の間に案内され休憩す。見送りの人々改めてここにて面会をなし、

記念の絵短冊各自一枚ずつを配付す。万寿山《まんじゅざん》、羽山《はやま》、小桜山《こざくらやま》、堂ケ沢山《どうがさわやま》、釜淵《かまぶち》
苧梓《おがせ》の滝（現・緒ケ瀬の滝）など一望の間に横たわり、山紫水明　台川《だいがわ》の清流、
の滝など見るべき勝地多く旅情を慰するに足る。

○

万寿山羽山小桜山を見て滝津瀬響く松雲閣かな
松雲閣名を聞くさへも床《ゆか》しけれ霊界聖談編みし日偲《しの》べば
台川の瀬々良岐《せせらぎ》の音キリギリス啼《な》く声冴《さ》ゆる松雲閣かな

花巻温泉の住人にして夕刻まで面会を請いたる人々は男女合わして三十五人に及べり。いずれも純朴にしてしとやかなり。本日、瑞祥会支部

設置を許したり。

花巻温泉は、紀元二千年代に発見せられ(注)、かなり古き歴史を有せり。

台温泉への里道が明治三十九年(一九〇六年)に開通してから、車馬の往来は便利になったが、時代の進運はこれをもって満足せず、交通機関の改善を促進し、大正五年(一九一六年)十二月湯本村、花巻川口町、花巻町の有志相謀り台軌道調査会を組織し、大正六年三月、郡費補助を得て調査に着手の結果台温泉より引湯し、堂ケ沢山《どうがさわやま》、羽山《はやま》、万寿山《まんじゅさん》一帯の景勝地を抱擁する大遊園地となすの計画を起こし、大正七年四月台軌道予定線路および温泉予定地を視察、細密調査の結

岩手県　花巻温泉　松雲閣別館
（出口聖師ご宿泊所）

花巻温泉　釜淵の滝

果、大正十年（一九二一年）軌道の敷設権を得て榛莽《しんぼう》（注・葉の茂った草むら）を拓《ひら》き花巻温泉と名称し、大正十四年八月、花巻より温泉へ通ずる電気鉄道を敷設し、今日の隆盛を見るに至ったという。

温泉会社が理想的の温泉郷たらしめんと、あらゆる現代文化を集めたる設備の完全なる仙境だという。しかるにこの温泉郷には、驚くなかれ、たった二台の自動車あるのみにして、そのうち一台は破損し修繕中なりとは実に設備の完全も当てにならぬと、鳴球氏微笑を漏らせり。

旅館地帯と遊歩地帯とを合わせて五万坪、西より北に巡って万寿山海抜四一一（現標高 四〇九・七メートル）、羽山三八六（現標高 五九九・九メートル）、堂ケ沢山三六四（現標高おなじ）、小桜山四三八メートル（現標高 四三九メートル）の連峰翠巒《すいらん》（注・緑色に見える連山）に抱かれ台川《だいがわ》、湯の沢川の清流は飛泉（注・高いところから落下する水）となり碧潭《へきたん》となり渓流となりその麓を濯《すす》ぐ。

旅館地帯三万坪、遊歩地帯二万坪にして、台川の清流に臨み山姿水態　風趣絶佳、百四十メートルの高原地にして、浩気《こうき》飽くまで澄明《ちょうめい》にして、少しの塵埃《じんあい》もとどめず、幽邃《ゆうすい》（注・奥深いこと）にして静閑、人工美と自然美よく調和し、瀟洒《しょうしゃ》（注・すっきりとしてあかぬけしたさま）なる田園都市の観あり。

昭和二年五月東京日々、大阪毎日の日本新八景の募集に、群を抜いて温泉において最高点をかち得たといって誇っているのである。

【編者注】紀元二千年代に発見…日本独自の紀元、神武天皇即位より数える皇紀によって述べられており、一三〇〇年代に発見されたこととなる。

並山に夕陽は映えて花巻の宿吹く秋の風の冷めたき

当地付近の名勝を大略調べれば

堂ケ沢山は海抜三六四メートル（現標高おなじ）、山巓《さんてん》まで電灯を点《とも》している。花巻駅から西北に見える山上の灯火はこれである。頂上二カ所に青森産羅漢柏《らかんかしわ》で建てた四阿《あずまや》がある。これに通ずる林道は緩勾配だから婦女子でもわずかに十数分で楽に登られる。山上からは遠く東南に起伏する北上山系を背景に北上平野を一望の下に収め、近くは水田の中に聚落《じゅらく》する、さながら陸上の松島の観ある、湯本村一帯を俯瞰《ふかん》し、景観 実に雄大である。林道からの眺めもまた捨て難く、登るに従い一歩一景をなし、低徊《かい》（注・思索にふけりつつ行ったりもどったりすること）観望去る能《あた》わざる風趣がある。

林道を降りグラウンドを左に見てゆくこと少しばかり、杉木立の緑陰に清冽《せいれつ》な水が滾々《こんこん》として湧いている。いわゆるここが長者清水である。昔、稗貫《ひえぬき》氏の属城大畑城主より別れた郷士《ごうし》（注・農村に土着した武士）（白山堂別当筑後氏祖）この地に居住し長者と呼ばれた。当時はこの清水二尺（約六〇センチメートル）も噴出していたが、遠近聞き伝えて薬餌の料にと汲《く》みに来るもの多く、いつしか長者清水と呼ぶに至った。長者またこの霊水を飲みて長寿を保った。この霊水を飲むときは病たちまち癒え、また中風に罹《かか》ることなしと言い伝えられている。温泉一帯の水道はこの清水を引用している。このあたり羽山の連峰峻嶺《しゅんれい》前にそびえ、台川《だいがわ》の渓流は脚下を流れ、人寰《じんかん》（注・人が住む所）に遠く幽邃《ゆうすい》を極めキャンピングの好適地である。

長者清水の上を西に、小桜山《こざくらやま》の麓を行くこと十数町（十町…一・一キロメートル）の町、左に羽山の連峰起伏し、台川の渓流はその麓を流れ、この辺一帯渓谷美と相まって風光佳絶の紅葉郷である。秋霜一過満山ことごとく錦繍《きんしゅう》となり、鳥声人語また赤からんとする趣がある。正面まろき新坂山はウイコ、香茸の産地である羽山の麓、大又沢《おおまたさわ》と小又沢とが合流して台川となる所、小釜淵の観ある河鹿滝あり、更に大又沢の上流三丁（約三二七メートル）にして笹滝の勝がある。

釜淵の滝はグラウンドを横ぎり近く響く淙々《そうそう》の音を訪ねて赤松の密林の間を縫うて行くと断崖の下に滝が見える、小径《こみち》を降り滝見橋を渡り四阿《あずまや》に憩うて仰げば幅十数間（十間…約十八メートル）高さ二丈五尺（約七・二メートル）、滝は岩盤《いわ》を伝うて轟々《ごうごう》として落下する、さながら晶玉の珠簾《たまだれ》が揺らぐよう、碧潭《へきたん》に白波躍り飛沫《ひまつ》は霧と散じ、真夏なお万斛《ばんこく》（注・斛は石高の単位、はなはだ多い分量）の涼味に衣袂《いべい》（注・衣のたもと）冷たきを覚ゆる。

滝壺の中央に経数尺（一尺…三十センチメートル）の穴がある、今は埋れて深さ数尺に過ぎぬが、昔、宝永元年（一七〇四年）大旱《ひでり》に際し洞水絶え、この淵の水はるか底にわずかに残っていたが、長さ二百間余りの木材多く出たという。滝の上は一面に畳を敷いたような岩盤で水浅く徒渉が出来る。

剣岩、石割松は共に松雲閣後ろの懸崖（注・切り立ったがけ）にあり、剣岩は自然のなせる巨岩、そのさま剣のごとく、石割松は巨岩の割れ目に老松一株蟠龍《はんりゅう》（注・地面にうずくまってまだ天に昇らない竜）のごとく生じ、水に影を映ずる。

羽山は、釜淵《かまぶち》の四阿《あずまや》の軒端に近く、巉岩《さんがん》（注・切り立つようなけわしい岩）の上、春は無縫の緑衣をまとうてそびえ立ち、秋は満山の錦繍《きんしゅう》さながら燃ゆるよう、清冽《せいれつ》なる渓流に影を映じ山光水色双絶である。人工美の極致なる旅館地帯の奥にかかる幽邃《ゆうすい》な天然美の極致を見んとは意想のほかである。猿臂《えんび》を伸ばせば掬《すく》える渓流に沿うて下れば月見橋に出る。台温泉から八百間（約一・四五キロメートル）引湯している木管はこの橋下を通って松雲閣後ろに出る。橋の袂《たもと》から遊歩地に登ると、松の密林は陽光を遮り、道は曲折し樹陰所々にベンチを設け颯々《さっさつ》の松籟《しょうらい》（注・松に吹く風の音）は淙々《そうそう》の渓声と不断の交響楽を奏で、苧桛《おがせ》ケ滝は目の前の緑陰に隠見（注・隠れたり現れたりすること）する。山は水を得、水は山を得て幽邃を極め、真に仙寰《せんかん》（注・仙人が住む所）の趣がある。また月見橋に戻る。この付近の風光佳絶、小塩原の定評がある。月見橋を渡り、台道路にいで幸の神坂を登ると果樹園がある。それから坂を下ると不動尊堂の後ろ滔々《とうとう》と響いて懸崖にかかるは苧桛《おがせ》ケ滝である。台温泉から流れて来る湯《ゆ》の沢川《さわがわ》が、ここに直下五丈（約一五・二メートル）の懸泉となり、山の女神が晒《さら》すかと見る素練《それん》（注・白い練り絹）のごとく、苧桛（注・麻をひねりつないだものをよって糸にし、枠にかけて輪にしたもの）を懸けたごとくである。投光器を備え付けてあるから、夏の夜涼を追うて蛍に戯れ、秋の夜露を踏んで虫を聞く、そぞろ歩きにも眺められるという。

○

天恩郷八重野へ贈る

陸奥《みちのく》の寒い天地にわかものが雪がスキーと遊ぶ冬の野
四季共に花やかならん諸々の設備とゝのふ花巻の湯は
湧きかへる水泡《みなわ》と共に世に高く響き渡れる釜淵の滝
紅葉に緑こき交ぜしらじらと崖より落つる苧桛《おがせ》の滝かな
旅の汗やつと流して秋風にあたれば涼しい温泉の宿
幾度も絵葉書やれど一度の返しもせない蜂の王かな

綾部梅野へ贈る

湧きかへる紅葉の色にはえながら世に高ひびく釜淵の滝
花巻の松雲閣に安居して神書を編みし並松偲《しの》ぶも
温泉の設備全くとゝのひし花巻の夜は静かなるかな

東北の旅の疲れを休めんと松雲閣に一夜を眠る

七十余《ななそま》り八日の旅を重ねつつ松雲閣の温泉に浴びる

天人の昔遊びし跡止めて苧桛《おがせ》の滝の鼓《つづみ》さやけし

○

花巻温泉まづなによりも滝の音

○

釜ケ淵滝の水泡や沸き返へり

花巻の温泉心を洗ひけり

蝉時雨《せみしぐれ》寝耳に擬《まが》ふ滝の音

○

山水の眺め清けく何時《いつ》までも去りがたく思ふ花巻の湯屋

八景の第一温泉山《ゆやま》染めかけし（花巻温泉）　香鹿

白萩の乱れに聞くや滝の音（同）　鳴球

◇九月二十六日　岩手日報記事

エスペラントを

語る聖師さま

ガッシリした出口師

萱場《かやば》氏邸で語る

弁護士萱場氏邸に出口王仁三郎氏を訪れた。吉原亨、佐藤直文氏らに大本教についての話をきく。

×

しばらくすると、吉原氏の案内で聖師様王仁三郎氏のおられる奥の一間に通された。

×

一宗の太祖、何万の師とあおがれるだけあって王仁三郎氏はさすがどっしりしている。暗さ、小ささ、いんけんさはみじんもない、ゆったりとおちついて明るく瑞雲《ずいうん》というめでたい雲のようにたおやかでさえあった。

×

樺太、北海道、千島の方面を回ってきた話についでエスペラントを語る。

×

「世界に向かって大本の教えをひろめるためにはエスペラントに限ると思った。外国にはエスペラントの本やパンフレットで宣伝布教に勉めている」

×

大本教の聖師様がエスペラントについて語る。記者は奇異に感じたと同時にその先見の明に驚嘆した。

×

最初にやった時はね、警察がたいへん不思議がって、おかしかった。警察では何か怪しいが、とでも思ったらしいのであった。そしてユダヤ人が発明したものだから、大本もユダヤと関係があるらしいと思ったのだそうである。

×

この時たまたま支部員が二人いとまごいに部室に入ってきた、トルコ帽の真中についた徽章《きしょう》をやや右と左に曲げてかぶっていた。聖師はそれをみると……心が右と左に曲っている……と言ってほほえんだが、自分で手を顔にあげて、たなごころを鼻にあて、中指の先を徽章にあてて見せた。支部員二人が笑ひながらそうすると聖師もにこやかに笑った。愛児をいつくしむ慈父のような態度であった。しばらくして記者はそのあたたかい態度に心うたれながら辞した。

なお聖師一行の日程左の通り

本日午後〇時五十四分上り列車で盛岡駅発、花巻温泉松雲閣一泊、講演場で講演会開催。

二十七日赤石支部一泊、赤石小学校で講演会。二十八日稗貫《ひえぬき》支部一泊、三十日宮本支部一泊、一日中尊寺、同日仙台へ向け出発。

◇九月二十六日　岩手日報夕刊記事

大本教講演会

大本教講演会は二十四日午後七時から市内桜城《さくらぎ》小学校で開かれたが、聴衆はトルコ帽の信者をはじめ又重市議、古川県視学、梅津川口町長、佐藤貯蓄庶務課長、宮永新報社長、中市九十支配人など市内名士の顔多く総数三百余人に上った。まず萱場《かやば》氏の開会のあいさつより吉原亭氏の「健全なる思想」、岩田久太郎氏の「日本は神国なり」の講演あり。

両氏の講演をかいつまんでいうと、このごろのやうに危険思想がやかましくなるのはとうの昔に大本には分かっていた。このままにしては置かれぬ。それには動物のような心をとりさって崇祖敬神の大本によらねばならぬ。出口聖師は救世主としてこの代にあらわれ、万人のなやみをなおすから、一刻も早く聖師にあって、霊に目ざめ神のご意思をわが意思とせよ、というのである。雨も降らせば病も直すという。希望者は萱場氏邸へ。

◇九月二十六日　岩手毎日新聞夕刊記事

大本教主
出口師来盛
昨夜は講演会

大本教主出口王仁三郎師一行六名は、二十四日午後六時上りにて当駅に降車し、いったん仁王小路の萱場精一郎氏宅に入り、同七時半より桜城小学校講堂において講演会を開催したが、聴衆は青壮年者のみ六百余名の多数を算し非常に感動を与えた。ちなみに当夜の演題と講演者は左の通りであった。

一、健全なる思想　吉原亨

一、大日本帝国は神国なり　岩田久太郎

出口師は明日花巻温泉へ

二十四日夜、来盛、仁王小路 萱場氏宅に滞留中の大本教主出口王仁三郎氏は二十五日も同氏方に滞留し、二十六日朝、花巻温泉に向かい、更に紫波《しわ》郡赤石《あかいし》、上閉伊《かみへい》郡宮守《みやもり》、上郷《かみごう》各村に立ち寄るはずであると。

◇九月二十六日　東京朝日新聞記事

美人引き連れ布教の出口氏

北海道布教帰りの大本教出口王仁三郎氏一行は三本木町安野旅館で休み、十和田観光としゃれ、湖畔の安野旅館支店に二泊、二十五日盛岡に向かった。漫談に花をさかせ付ききりの若い美人が人目を引いた。

九月二十七日　於　紫波《しわ》支部

雨降ると眼さまして窓見れば紅葉の奥より落つる滝の音《ね》

紅葉照る満寿山に谺《こだま》して朝耳清《すが》し苧桛《おがせ》の滝の音

○

旅の湯に入りて眠たくなりにけり

温泉地紅葉の色の勝《すぐ》れけり

二人なら深く落つるも釜ケ淵

雪滑りスキーは若き男女かな

温泉の夕べ聖都を偲《しの》びけり

君に心を苧桛《おがせ》の滝よ顔に紅葉の月見橋（情歌）

○

紅葉する羽山《はやま》の錦うつろひて五色に映ゆる苧桛の白滝

滔々《とうとう》と落つる苧桛の滝の音《ね》をおさへて河鹿《かじか》啼《な》くや川の瀬

ヒグラシや河鹿の声や滝の音いと賑《にぎ》はしも花巻温泉

○　花巻の四季

春の歩み遅々なれども、鹿の子まだこの残んの雪に、藪鶯《やぶうぐいす》は春告げがおに樹がくれに鳴きわたる。薄紫の山牡丹《やまぼたん》は、森の処女とつつましく樹の下陰に咲き、沢水ぬるんで岸辺の芹《せり》は寸々と生《お》ひ、若草萌ゆる岡には早蕨《さわらび》日一日と延びる。陽春五月、梅桜一時に綻《ほころ》びて、彩霞棚びき、春なしという奥州の地の花あわただしくはらはらと風に舞う。

見わたす連峰の青葉 若葉の樹の海は、緑雨に色濃《こま》やかに躑躅《つつじ》 緑を縫うて紅を点じ、鈴蘭の花ゆかしく薫る、炎威（注・夏の暑さの激しい勢い）日に迫れども峡中の温泉郷は清涼なり。緑陰 真白に大輪の山百合《やまゆり》は満地に薫じ、清冽《せいれつ》なる渓流の畔《ほとり》、しぶききる衣袂《いべい》 冷やかなる飛泉のほとり、涼味万斛《ばんこく》 夏を忘れしむ。浴後を渓辺に金鈴を振うがごとき河鹿《かじか》を聴き、あるは蛍を趁《お》うて冴《こだま》する杜鵑《ほととぎす》に興じ、月 中天にかかって、夜気 水のごとく冷やかなり。

金風一度おとずれては満山の紅葉、霜に傲《おご》って黄紅あらゆる色彩の美をほしいままにし、さながら豪奢《ごうしゃ》なる花絨氈《じゅうたん》を展《の》べたるごとく、春の花にもまさる眺めなり。栗はあからみ草は一雨ごとに赤らみて、秋の魅惑は手をのべる。登山に行楽に最も適した季節なり。

やがて朔風《さくふう》（注・北風のこと）雪を吹いて満眸《ぼう》ただ一白、あらゆる醜汚は埋め尽くされ、浄化されて天地蕭条《しょうじょう》（注・ものさびしい様子）、豪快なるスキーの活躍が始まる。外は朔風　淅瀝《せきれき》（注・風雪や落葉などの音の寂しい様子）として吹雪すれども、内は洋々として春のごとくのどかに、湯煙濛々《もうもう》として立ち籠むる浴槽の内壁、極めて暢気《のんき》に窓外の積雪を賞するも恵まれたる冬の日の興趣なるかな。

○

午前十一時、多数の宣信徒とともに当地の名勝、釜ケ淵《かまがぶち》の滝を探り、一

同　滝の上に立ちて記念の小照を撮り、帰途　苧桛《おがせ》の滝を遠見しつつ、松雲閣に帰り昼飯をなし、新しき面会者数人に接見し、旅装を整え迎えの自動車にて駅に入り、午後一時四十三分　西花巻発車、同二時五分　花巻駅に安着す。秋天　清く太陽　晃々《こうこう》として暖かなり。

西花巻駅を立ち出《い》で野路渉《わた》り風に吹かれつ花巻に馳《は》す

玄翁派玄顧和尚の開きたる松山寺はいたく錆《さ》びたり　（注1・玄翁派）

為重《ためおも》が建久二年に築きたる瀬川の城址《じょうし》清水溢《あふ》るる　（注2・為重）

盂蘭盆《うらぼん》に龍灯出づと伝ふなる瀬川城址に秋風光れり

頼時の柵を造りし花巻の城址は桜樹の公園となる　（注3・頼時）

【編者注】（注1）玄翁派…玄翁禅師によって開かれた曹洞宗の一派。松山寺を建てた玄顧和尚は、同禅師の法孫。
（注2）為重…稗貫《ひえぬき》為重。一四一頁を参照のこと。
（注3）頼時…平安時代の武将、安部頼時《あべのよりとき》。陸奥・出羽の蝦夷《えみし》のうち、朝廷の支配に属するようになったものを俘囚《ふしゅう》というが、安部頼時は、陸奥国奥六郡を治めた俘囚長であり、半独立勢力を形成していた。十一世紀半ば、朝廷への貢租を怠ることの懲罰を受け前九年の役が始まるが、安部氏側は鬼切部《おにきりべ》の戦いで逆に国府側を撃破する。ひとたび戦いはおさまるが、源頼義《みなもとのよりよし》赴任後、阿久利川《あくとがわ》事件で再開された戦いで頼時は討たれる。戦いは貞任《さだとう》へと引き継がれた。

わが一行の帰りを温泉駅まで見送りしは、鬼柳国太郎氏ほか二十人、次に花巻まで見送りし阿部ミツエ、関野ヨシノほか二名あり。次に石鳥谷《いしどりや》より同車見送りたる人は阿部庄次郎、佐藤勘四郎両宣伝使なり。次に諸準備のため先発したる勝又宣伝使、佐藤キヨ子の二氏は日詰《ひづめ》駅に自動車を準備して待ち迎えたり。

ただちに駅前の信者なる菅原周蔵氏方に入りて少憩し神言を奏上し終わってこれより日詰《ひづめ》の支部に向かう。

岩手県　日詰支部における出口聖師一行

岩手県日詰町　志賀理和気神社

志賀理和気神社より紫波城跡を望む

自動車にて同行せし人々はわが一行六人のほかに勝又六郎、桑畑鶴松、佐藤直文、阿部庄次郎、藤原善七、佐藤勘次郎、田端さき子、佐藤久、同健、菊池文雄、長谷川コン子、筑後源太郎、村山千代子、佐藤善蔵、畠山春蔵、佐藤善八、藤原亥之松、晴山松枝の諸氏なり。日詰支部にて面会せし人々は笹倉直平氏ほか三十人なり。

神前の神言奏上終わりて記念の小照を撮り、帰途、県社 志賀理和気《しかりわけ》神社に参拝、神言を奏上す。苑内には有名なる南面の老桜あり。参道の左右に桜の老樹立ち並びて昼も暗きばかり、神苑内には赤松および老杉の森高く風清し。神社の東裏手には北上川より掘り出だ《い》せしといふ赤石あり、玉垣を巡らし七五三縄《しめなわ》を張れり。北上川の清流広く流れて風光極めて絶佳なり。

一同神苑を逍遥《しょうよう》し、大鳥居前より再び自動車に乗りて、一行二十四人紫波《しわ》郡赤石村《あかいしむら》字北日詰の紫波支部に着く、時まさに午後の五時。十四夜の月は東山の頂に薄く影を現し、太陽は西の山の端に舂《うすず》き、東西相対照して空気晴朗心地よき夕べなり。

当支部にて面会せし信者五十九人に及ぶ。各自一枚ずつ例により短冊を配付せり。

まめ人に見送られつつ午後の二時三十一分花巻を立つ

花巻の駅より別れて三四人西花巻をさして帰れり

老松の赤き林の下陰に累々墓の連なる花巻

日詰まで筑後長谷川新信徒吾《われ》送らんと同車して行く

平原に松の青々茂りたる景色はいつも見飽かざりけり

早池峰《はやちね》の面《おも》に秋の陽《ひ》輝きて雲片も無き今日の旅かな

このあたり稲田大方刈り取られ久延毘古《くえびこ》独り淋《さび》しく立てり（注・久延毘古…かかし）

稲を刈る田人あちこち清き陽を浴びていそしむ瑞穂の秋かな

石鳥谷駅より晴山利吉使は下車し家路をさして帰れり

家々のまはりに老樹立ち並ぶ里は野分《のわけ》もはげしかるらん

東根《あずまね》の山はればれと輝きて日詰の駅にさしかかりけり

駅前の菅原周蔵氏方に入り休憩しばし太祝詞《ふとのりと》宣《の》る
自動車を走らせ赤石の日詰支部さして急ぎぬ数台並べて
紫の波打つ赤石北上の川よりあげしと由緒ある村
日詰支部神言了《おわ》り小照を記念のために一同と撮る

○　温泉の思い出

落日の余光　満寿山頭に消えるや、幾百の電灯は堂ケ沢山の頂上まで燦爛《さんらん》として不夜城を現出し、あたかも真昼のごとし。水の垂るような黒髪にくっきり白い襟足《えりあし》見せて胸高に締め上げた帯上げの夜目にも赤き華やかな装い、純白の足袋の裏見せて緋《ひ》に燃ゆる裾《すそ》さばきも軽く、行きずりに脂粉《しふん》の香（注・紅やおしろいのにおい）高く楚楚《そそ》として行く女あり。どことはなしに流れ来る管絃《かんげん》の音の響きに連れて謡う声華やかなり。夢のごとく淡く煙のごとく細い秋雨、湯の香漂う秋天の月、夜気水のごとく冷やかにして、暖気に包まれたる湯上りの安居も心地よく、露しとど葉末に光り、虫の音爽やかなる秋の夕暮れはひとしお情味沸く。

○

紫波《しわ》郡の日詰町は人口二千余りにして陸奥の豪族藤原秀衡の族《やから》たる比爪《ひつめ》氏の城址あれども、今日宅地となりてその跡も判然せずという。町内には延喜《えんぎ》式内の県社志賀理和気神社あり。また古館村の陣岡神社は源義家が安部貞任を討ちし時の陣所址《あと》にして、また源頼朝が藤原泰衡の臣河田次郎の首をはねたる旧跡なりと伝う。

○

一片の雲さへもなき大空に十四夜《いざよい》の月すみわたるかな

仲秋の月の面《おも》を眺むれば身もすき透る心地こそすれ

早池根《はやちね》の峰より昇る月かげは東根山の頂に照る

東根の峰をし見れば月冴《さ》えて大いなる星一つ光れる

月清く星まばらなるいざよひの空に雲なくはれわたる今日

月見んと思へど腹のいたづきに惜しくも部屋に籠《こ》もりけるかな

清月や如月と共に瑞月が陸奥《みちのく》の空の月見る今日かな

一年に一度よりなき仲秋の月の光の鮮かなるかな

十四夜《いざよい》の月をし見れば自《おの》ずから清涼漂ふ 魂《たましい》の奥

魂の底まで清くなりにけり仲秋の月冴《さ》えわたる見れば

十四夜の月の光にてらされて庭の小隅《こすみ》にきりぎりす鳴く

庭の面《も》に咲き乱れたる萩の上の露にやどれるいざよひの月

○

窓明けて月をし見れば風早の天恩郷の偲《しの》ばるるかな

天恩郷公孫樹《いちょう》にかかる月かげをあで人今宵《こよい》仰ぎ見るらん

去年《こぞ》の今日天恩郷に眺めたる十四夜の月陸奥《みちのく》に見る
月の宮に輝きわたる仲秋の月を仰がん術《すべ》なき旅かな
十四夜の月のうかべる金龍の池の面はさやかなるらむ
高殿の瓢《ひさご》に月のかげ冴《さ》えて綾の神苑《みその》にくまかげもなし
草枕旅にたたずば丸山の台《うてな》に冴ゆる月見しものを
鈴虫のさやけき声につつまれし神苑に月見る人うらやまし

北海道 増川氏の歌に答う

行く君の御跡したひてわが魂《たま》は函館青森天恩郷まで　康
後髪引かるる心地し蝦夷島を離れけるかな神子《みこ》と別れて　閑楽

○

稗貫郡《ひえぬき》は古書に稗縫《ひえ》とも部貫とも稗抜とも作る。平安朝の初期 延暦二十年（八〇一年）、坂上田村麻呂《さかのうえのたむらまろ》将軍 蝦夷《えぞ》を征してより北奥の地も王化に潤うに至ったが、安部頼時 六郡（伊澤、和賀、江刺、稗抜、志和、岩手）を横領するに及び、この地は三男 鳥海《とのみ》三郎宗任《むねとう》（注）の領となった。前九年、後三年の両役に安部氏は滅び、藤原秀衡《ひでひら》前後三代 六郡を管領し、本郡もその一つに属した。文治五年（一一八九年）源頼朝、藤原泰衡を滅ぼし建久二年（一一九一年）三河守《みかわのかみ》 藤原為重、稗貫郡《ひえぬき》五十三郷を賜わり、翌三年八月、この地に至り瀬川城を築き稗貫をもって氏となした。

【編者注】 鳥海三郎宗任…安部貞任の弟。鳥海柵《とのみのさく》の主。前九年の役において、兄貞任とともに戦い、兄は討たれるが、宗任は源義家によって都に連行された。花の名など知らぬだろうと侮蔑して見せられた梅について、即座に「わが国の梅の花とは見つれども大宮人はいかが言ふらむ」と歌をもって答え、都人を驚かしたと伝えられる。

天正十八年（紀元二二五〇年）（一五九〇年）豊臣秀吉 小田原役に際し、召

に応ぜぬので稗貫広忠の領地を没収し、翌十九年これを南部信直に与えた。明治元年（一八六八年）陸奥を分かちて五カ国とするに及び、陸中国（注）稗貫郡に属し、二年南部氏盛岡藩主となったが廃藩に至り、盛岡県を置き五年岩手県と改称した。

【編者注】陸中国…明治初期に一時使われた旧国名。明治元年十二月、陸奥国が分割され、今の岩手県の大部分と秋田県の一部が、陸中国として設置された。

稗貫郡は三町十二カ村よりなり広袤《ぼう》実に四十五方里（一方里は約十五・四平方キロメートル）奥羽山脈西に連なり北上山系東にそびえ、北上川洋々として郡の中央を北より南に貫流し、沃野《よくや》開け地味概して豊穣《ほうじょう》。産業 教育 発達し商業また殷盛《いんせい》（注・栄えにぎわうこと）で、つとに文化の発達せる地である。しかして温泉に恵まれていることは特筆に値する。西奥羽山脈に源を発し、東北上川に朝宗（注・多くの河川が海に集まり注ぐこと）する豊沢川《とよさわがわ》および台川《だいがわ》の二流域に沿うて天与の霊泉が各所にこんこんとして湧出している。この二流域を湯口村《ゆぐちむら》といい湯本村《ゆもとむら》とともに温泉にちなめる地名なり。豊沢川流域に連珠《れんじゅ》のように湧く志戸平《しどたいら》温泉、大沢《おおさわ》温泉、鉛《なまり》温泉、西沿温泉、また台川流域の花巻温泉、台温泉を通じて来浴するもの一年五十万人を超えるの盛況なり。

交通また便にして稗貫《ひえぬき》郡の中央都市花巻両町を中心に国県道、町村道は放射線をなして四通八達せるほか、国有鉄道東北本線は南北に貫き、岩手軽便鉄道線は東海岸 釜石港に達し、横黒線《おうこくせん》は花巻の南八マイル（約一二・九キロメートル）、黒沢尻《くろさわじり》より西横手《にしよこて》に及ぶ。こうして豊沢川の流域の諸温泉へは電車軌道、台川流域の諸温泉へは電気鉄道が通じていて交通の至便にして運輸機関の発達せること、けだし東北随一である。なかんずく横黒線の開通は従来 奥羽山脈によって遮断されていた岩手、秋田両県の距離を短縮して握手せしめ、今や比隣のごとく各種産業の発展を促進し、ひいては花巻を中心として太平洋と日本海とを連絡せんとする気運に向かいつつあり。

花巻町は古《いにしえ》の鳥谷城（注）にして安部頼時の初めて築きし所、天正十九年（一五九一年）浅野長政 九戸を鎮し、その臣 北秀愛《ひでなる》にこの地を守らしめ、初めて今の名に改称したる所（注）。現今、人口四千あり（令和元年十一月現在花巻市人口・約九万五千人）。

【編者注】鳥谷城…より正確には鳥谷ケ崎《とやがさき》城。現在は南部信直のとき花巻城に改められたと考えられている。

厨川柵《くりやがわのさく》は盛岡を距《へだ》たる三十丁（約三・三キロメートル）、阿部貞任の城址にて今なお空濠《からぼり》の跡を存し、岩手山、一名 岩鷲山《いわわしやま》また岩手富士の称あり。絶頂は海抜六八七尺（約二、〇六二メートル／現標高二、〇三八メートル）ありて岩手山神社あり。祭神は稲蒼魂命《いなくらたまのみこと》、大己貴命《おおなむちのみこと》、日本武尊《やまとたけるのみこと》にして御堂村《みどうむら》北上山新通寺畔に弓弭《ゆはず》清水あり。源頼義が安部頼時を攻める途中、炎暑はなはだしく士卒渇《かつ》を訴えるも一滴の水なきより、皇天に祈りて路傍の岩角を弓の弭《はず》（注・弓の端）をもって突き砕きたるに、清水こんこんとして湧出せしと、後に義家ここに一宇の堂を建て観世音を安置す。

網張《あみはり》温泉、岩手山の鎌倉森《かまくらもり》と小松倉《こまつくら》との間に湧出する温泉にして、土管をもってこれを一、二八〇間（約二・三キロメートル）なる大釈山に引き上げてもって浴槽を設くるもの。土地高燥なるをもって盛暑といえども寒暖計八十度（注・摂氏約二六・七度）を上らず。雫石村《しずくいしむら》より葛根田川《かっこんだがわ》を遡ること三里（約一一・八キロメートル）余りの所に葛根田岩窟あり、なお上流には鳥越瀑《ばく》（注・滝のこと）ありて奇観を呈せり。

小学校講演終わり小夜更けて岩田吉原両使帰れり

秋晴れや滝の一枚岩に立つ（釜淵《かまぶち》の滝）　香鹿

草の戸によき人とめぬ小望月《こもちづき》（紫波《しわ》支部）　鳴球

◇九月二十七日　岩手毎日新聞記事

大本教主来花

松雲閣別館に

来盛中であった大本教主 出口王仁三郎氏は、二十六日午後一時五十分、花巻駅着。同地方の信者として知られた万月、泉の両料理店女将《おかみ》ら数十名の出迎えを受け、花巻温泉入りをなし、松雲閣別館に投宿した。

◇九月二十七日　岩手毎日新聞夕刊記事

大本教主

きょう花巻へ

温泉に滞在せん

仁王小路の萱場《かやば》弁護士方に滞在の大本教主出口王仁三郎氏および随員一行は、二十六日午後零時五十分発の上りにて、信者多数の見送りを受け当駅出発。花巻温泉に向かったが、二十七日正午まで滞在し、それより既報の各地を巡歴布教する由である。

◇九月二十七日　岩手中央新聞記事

大本教の出口王仁三郎氏

昨日　花巻温泉で講演会開催

大本教の出口王仁三郎氏は、一昨日、盛岡において教義宣伝の講演会を開催したるが、昨日午後一時四十九分上り列車で花巻駅着、ただちに花巻温泉に赴き、午後六時より講演場において講演会を開催した。

◇九月二十七日　日刊「山形」記事

王仁三郎

本県行脚《あんぎゃ》

大谷村で説教

目下宮城県下で講演中の人類愛善会（大本教）総裁出口王仁三郎氏は明二十八日か二十九日本県に入り、ただちに西村山郡大谷村で講演会を開催することになっているが、宿泊所は大谷村大字同白田昌太郎氏宅で、ことに驚異とすべきは王仁三郎氏使用の膳椀など全て白木造りとあるので、目下その製作に忙殺されている。なお同村の講演会終了後は山寺、米沢方面で行うが時日はまだ未定であると。

九月二十八日　於　稗貫《ひえぬき》支部

仲秋の朝風 清く、陽《ひ》うららかにして、家鶏《かけ》の声 鳥の共鳴《むたな》き何となく爽やかなり。然《さ》りながら昨夜来の腹痛に加えて、肩の凝り歯の痛みますますはなはだしく、葱《ねぎ》の粥《かゆ》を炊《た》いてもらいて腹中を暖め、袷《あわせ》の重ね着の上に厚い綿の入ったドテラを被りて震いつつ紫波《しわ》支部の朝を送る。

佐藤直文氏の邸宅は西に杉の大樹林あり、敷地広大にして家居また広し。わが来紫に対して家の天井板の張り替えその他に種々修繕を加えたる跡ありありと見えて、主人の好意明らけく感謝にあまりあり。

仲秋のあしたの空に雲もなく陽《ひ》はうららかに平野照らせり

庭桜 桃色白色咲きほこる苑《その》のおもての賑《にぎ》はしきかな

晴れ渡る仲秋の空轟《とどろ》かせ南に北に飛行機飛び交ふ

防風林高く茂りて氏神の社鎮まる佐藤邸かな

赤石《あかいし》高等小学校長 川村武雄氏および赤石村長 下河原菊治氏、来訪あり。次に稗貫支部より晴山理吉、佐々木倉松、同駒蔵、同タマ子、同ヨノ子、熊谷新蔵、石森佐太郎、大川由蔵の諸氏出迎えのため、午前九時、紫波支部に来る。

朝風に打ちなびきつつ庭の面《も》に重く揺らげる庭桜花

大空は隈《くま》なく晴れて秋の陽にかがやく飛行機鮮やかなりけり

大演習気分やうやく漲《みなぎ》りて時じく飛行機空翔《か》ける見ゆ

朝風の清きがままに庭の面を逍遥《さすら》ひ足袋《たび》を露に濡らせり

勢ひの良き菜の畑に別け入りて白足袋の尖《さき》土を付けたり

美《うるわ》しき風を防ぎの老杉の森の下陰歩むすがしさ

襟《えり》首に冷え冷え風の吹き入りて蜻蛉《とんぼ》草葉に羽を休む朝

大いなる桐《きり》庭の面に立ち並び朝風窓打つ赤石《あかいし》佐藤家

学校の改築の音朝まだき高く聞えて秋風冷ゆるも

桐《きり》の葉に立つ朝風のさやさやと響きて秋は更けにけるかな

雨降れる音かと窓明け眺むれば桐の梢《こずえ》にわたる秋風

八十日旅を重ねて陸中の空 仲秋の月を見んとす

国を出て早八十日《やそか》の旅暮れにけり夏去り秋も半ばとなりて

腹痛み肩凝り胸はつかへつついとも苦しき旅の今日かな

秋風の身にしみ渡る朝夕の旅路の空の何か淋《さび》しも

如月皓歯《こうし》幼き声を張り上げて真如《しんにょ》の光の原稿を読む

今朝見れば庭のおもてに咲きみてる葉桜寒く風に震へり

わが居間に生けし黄菊の香も高く匂ひこぼるる朝明けの空

さらさらと梢《こずえ》を渡る秋風の音の淋しき陸中路かな

郷土史に富む紫波《しわ》郡に旅をして英雄割拠の跡を見るかな

風強く陸中平野に吹き荒れて真昼ながらも肌《はだ》冷え渡る

東根《あずまね》の峰はさやかに晴れながら陸中平野に荒風の立つ

秋陽《ひ》刺す庭のおもての庭桜清く映えつつ風に揺れ舞ふ

陸中の国に来たりて珍しき小さき信濃《しなの》豆柿見たりき

庭の面《も》を黄金《こがね》の色に染めなして八重向日葵《ひまわり》の花は咲きけり

庭の面に立ち出《い》で見れば珍しき手毬《てまり》桜の返り咲きせり

日当たりの良き倉の戸に前に伏す灰猫姿の長閑《のどか》なるかな（注・灰猫）

秋風に吹かれて桐《きり》の葉散る見れば人生頓《とみ》に阿呆《あほ》臭くなりぬ

阿房《あほ》臭き人生なれど永遠の生命信じて生きて行くなり

秋風の立つ東北の旅をして故郷おもふ夕暮れの空

淋《さび》しさは秋の夕べの草むらに啼《な》く虫の音《ね》にまさるもの無し

【編者注】灰猫…火を落したかまどの中に入って暖をとり、灰だらけになった猫を、このように言う。

淋しさに故郷を慕ひ吹く風に心なやます陸中の旅

午後、神前の礼拝を終わり百余人の面会者に接したる後、記念の小照を撮り、午後二時十五分 三台の自動車にのり、有名なる五郎沼《ごろうぬま》を右手に見て国道の並木原をはせながら、石鳥谷《いしどりや》の町を越え八幡町《はちまんちょう》に進めば途中に珍しき杉生桜《すぎうざくら》あり。この桜は大杉の幹の中央より枝葉を生じ路上に向かって繁茂せり。八幡町は今日あたかも氏神祭礼日にて山車《だし》や御神輿《おみこし》や色々の変装行列にぎわい、太鼓の音勇ましく道路を村人が練り行くさま古風じみて何となく面白し。これより一里南に進めば黒沼《くろぬま》の里なり。村人や信者、道の左右に整列し神旗をかざして静粛に出迎えたる中を徐行して、一行無事稗貫《ひえぬき》支部に入りしはまさに二時五十分なり。それより一同庭の面に整列して記念の撮影をなしぬ。

紫波《しわ》支部をいよいよ今日より昇格し分所と称する事とはなりぬ

訪問者百人余りに面会を終わりて神前《みまえ》に神言を宣《の》る

岩手県　稗貫支部における出口聖師一行

紫波分所庭の面に立ち並び記念のためと撮影をなす

自動車を並べて午後の二時過ぎゆ稗貫支部をさしてはせ行く

有名な五郎沼をば右に見て並樹松生《お》ふ国道を走《は》す

神さびし並木松原秋の陽《ひ》を浴《あ》びて石鳥谷町《いしどりやちょう》に進みぬ

大杉の幹より桜の枝繁る杉生桜の珍しきあり

八幡村《はちまんむら》氏神祭の最中《もなか》にて山車《だし》や神輿《みこし》に賑《にぎ》はひにけり

猿田彦鎧《よろい》武者など村人の変装なして道をねりゆく

黒沼《くろぬま》の里に進めば国道の右と左に出迎ふ人々

午後三時前に稗貫支部の庭一行無事に着きにけるかな

ここもまた記念のためと庭の面《も》に立ちて一同小照をとる

紫波《しわ》分所より自動車にて稗貫《ひえぬき》支部まで見送りたる人々、左のごとし。
佐藤直文、同きゑ、同貢、同きみ、阿部つゑ、熊谷与惣吉、菅原周三、
佐藤健、同久の諸氏。

○

仲秋の月を仰ぎて天霊の両地の空のしのばるるかな
仲秋の月の光も見えぬまで曇りけるかな今日の大空
故郷をしのぶ心のうつりてや仲秋の月空にくもれる
八十日旅の枕をかさねつつ仲秋の夜に稗貫に寝る
きみおもふ心の炎はたちのぼり深くつつみぬ仲秋の月

この郷《さと》はくもりてあれど天恩の神苑《みその》は清き月を見るらむ
北上川深き流れはあするともきみ恋ふ心いやまさりつつ
志賀理和気宮のみ庭の杉林のびたる姿のきみに似しかな
秋風の清きを浴びてひるがへる夏の林のすがしききみはも
わが歌をかきしるしつつほほゑめる人の面白し電灯のもと
腹痛をしのびしのびて蒸し栗を皿に一杯たひらげてけり
腹いたは腹いたとして栗の実は食へば食ふほど味のよきかな
懐炉灰腹に当てつつ栗食へば十二指腸がガラガラとなる
十二指腸空腸回腸盲腸も結腸直腸つまりし今日かな
秋の日の遠の旅路の淋《さび》しさに虫の声さへものうかりけり
かく詠める折しも胸にこみあげていたさ苦しさたへがたきかな
朝夕に冷たき風の吹きまして淋しさ身にしむ旅にある身は

何かしら一日も早く帰りたし天恩郷や綾の高天に

帰りたいああ帰りたい帰りたい思へどままにならぬ旅かな

吟月や閑月澄月空仰ぎ松の梢《こずえ》の月恋ふるらむ

去年《こぞ》の秋公孫樹《いちょう》のかげにたちよりて二人月見し空のしのばゆ

空に月庭に鈴虫松虫の奏楽《そうがく》清き神苑しのばゆ

去年の秋月を眺めし高台に早くもたちぬ月の宮殿

明光殿一日も早く帰りたし巻と短冊吾《われ》待ちあれば

大公孫樹下にたたずみ四方八方《よもやま》の錦をみれば楽しかるらん

月清き高台の上にたたずみて秋の夜見れば麗しかるらん

吾を待つ虫の音《ね》清き神苑に鈴虫ひとしほ冴《さ》えわたるらん

明光殿ふりさけみれば大空に詩吟の月のさやかなるらむ

天恩郷み空に清く澄む月は仲秋の夜の花にぞありける

閑古鳥《かんこどり》なく夕ぐれの淋しさにみ空の月を仰ぎ見しかな（注・閑古鳥…かっこう）
東北の空にも清く冴えわたる真如の月をのぞみてしかな
雪花にまさりてすがし神苑の空にかかれる荘厳の月
一年にたつた一度の名月を何故《なぜ》おれの目に見せぬか天道
長旅のおれに名月見せぬとは天道わけがわからんぢやないか
万人が待ちこがれたる仲秋の月をかくすか憎きむら雲
月のみか星のかげさへのみよつた黒雲の奴《やつ》鬼か大蛇か
はるばるの旅の疲れをいやさんとこがれし月の見えぬ淋《さび》しさ
み空から暗《やみ》のかたまりぽつかりと落ちひろがれり陸中の野に
秋の夜の花ともいふべき望《もち》の夜の月をかくせし雲ぞ憎らし
星光もただ一つなき仲秋の曇れる空の惜しくもあるかな
コホロギの声もおもたく聞こゆなり仲秋の月見えぬ今宵《こよい》は

腹が立つああ腹がたつ腹がたつ月をかくした空の黒雲
今宵こそ月見て歌をつくらんと思ひしことも仇《あだ》となりぬる
戊《つちのえ》の辰《たつ》の仲秋名月は御空の雲に呑《の》まれけるかな
大空の月は曇れど地の上に瑞月高く輝く日の本
月の無き今宵の空の寂しさは虫の声さへ悲しかりけり
恋人のある身は闇もよかるべし老いては空の月のみ恋ふる
月の夜をうらみし事もあるものを闇をしなげく身とはなりけり
又《また》しても聖地が恋しくなつて来たいにたいいにたいいにたいばかりだ
行先で引張り凧《だこ》にあはされて骨を抜かれてグニャグニャになる
日々に御飯の味の変わるこそ苦しき旅の一つなりけり
可愛い子に旅をさせとはよく云《い》ふた便利はよくても故郷は恋しい
今夜こそ月をほめよと待つてゐたおもはく外れて黒雲のやみ

清月や如月はおれど空の月雲に呑《の》まれて顔を出さない
仲秋の詩吟の月もむら雲に包まれにけり黒沼《くろぬま》の里
沢山な巻短冊が待つてゐるいにたくなつた天恩の郷《さと》
温室や大祥花壇の花盛り思ひ浮べて帰りたくなる
東北の旅も俺にはあいて来た天恩郷の花壇おもへば
丸山の月が恋しくなつて来たそれにも一つ見えぬ高殿
おれのゐぬ間に朝顔萩の花コスモスへちまも咲いてしまつた

○

自動車の音勇ましく両宣使暗路を馳《は》せて講演に行く
小夜《さよ》更けて自動車の音聞えけり講演弁士帰りしなるらん

天高う飛行機見るや大屋敷（紫波《しわ》分所）　香鹿
雲の底に薄明かりして無月かな（稗貫《ひえぬき》支部）　鳴球

◇九月二十八日　岩手日報記事

大本教の神様平泉に向かう

出口王仁三郎氏は昨二十七日午後一時四分花巻温泉発、同一時四十九分花巻駅発で平泉に向かった。

◇九月二十八日　東華新聞記事

大本教主出口王仁三郎大聖師の来仙

十月二日公会堂で大講演会

日本、中国、欧州、米国の各国に存在する二百有余万の信徒により、救世の大聖師と仰がるる出口王仁三郎氏は、北海道へ巡教の帰途、来る十月一日午後六時二十分 仙台駅着列車にて来仙の上、定禅寺通櫓丁《じょうぜんじとおりやぐら》の大本瑞祥会千代《せんだい》分所に入り、ついで元寺小路仙台第二分所に旅装を解き、十月二日午後七時半より公会堂にて大講演会を開くと。

九月二十九日　於　上郷《かみごう》支部

朝曇り静けき空に家鶏《かけ》烏《からす》雀《すずめ》の声の爽やかなるかな

歯の痛みまだ有り乍《なが》ら腹具合今朝は少しく柔らぎにけり

腹具合少し直りて今日はまた旅のつらさを忘れ初めたり

十時半稗貫《ひえぬき》支部をたち出《い》でて花巻さして自動車はしらす

白檀《びゃくだん》の老木のもとに南無大師遍照金剛《なむたいしへんじょうこんごう》の石標立てり

（注・南無大師遍照金剛）

【編者注】南無大師遍照金剛…真言宗の宝号で、大本の神号にあたる。南無とは帰依するという意味、大師とは偉大なる師を意味し真言宗の開祖・空海を指す。遍照金剛は、空海が唐において修行していたときに付けられた勧請名。全体としては、空海を信仰の拠り所として生きていくという意味である。また遍照金剛には「太陽のようにすべてを照らす慈悲と金剛石（ダイヤモンド）のように砕けることない知恵」を意味し、大日如来の別名でもある。

天井のひくい自動車にのりゆけば頭つかへて首だるきかな

松並木国道の上ちらちらと兵士ゆきかふさまの勇まし

数万尾の鯉《こい》を飼ひある新堤の池なみなみと水をたたへり

赤松の林あちこち立ち並ぶ平原みつつ進む涼しさ

道の辺に御嶽《おんたけ》観音参詣路標柱たてり老木のかたへに

水浅き小瀬川橋を渡りゆけば駅のシグナルはやおりてあり

立桑の畠《はたけ》や赤松林などさかゆる野路のかぎりなきかな

花巻の町に漸《よう》くかけいりて清き流れの河原橋ゆく

十一時花巻駅に安着し駅長室にてしばしやすらふ
特等車借り切りとして花巻を十一時十五分発車す
鳥谷ケ崎《とやがさき》駅に来たれば浅沼氏わが一行を出迎へてあり
鳥谷ケ崎城址《じょうし》の広き松林みつつ北上川にそひゆく
北上川そひてはしれば東根《あずまね》の山はかすみて秋風のたつ
似内《にたない》の停留所をばのりこえて進めば五大堂山そび立つ
北上川鉄橋わたりあしはやく矢沢《やさわ》の駅に着きにけるかな
小山田《おやまだ》の駅に進めば池の面《も》をとざして生《お》ふる菱《ひし》のつるかな

土沢《とちざわ》の駅に来たれば高橋氏妻女と共に面会をなす
山ぎわに「キクセキ一方」菊屋なる大看板のあるぞをかしき
日露戦志士横川省三氏の墓近くある晴山《はるやま》の駅　（注・横山省三）
鼻曲り鮎の産する猿ケ石川の方向眺めてはせ行く
右手《めて》は川左手《ゆんで》は断崖その中を危ふく汽車ははしりてぞゆく
岩根橋《いわねばし》駅の庭の面《も》あちこちと宵待草《よいまちぐさ》の花の乱れつ
渓流に高くかかれる鉄橋を渡れば間もなくトンネルに入る
山裾《すそ》に家居の並ぶ村ゆけば砥守神社の桜もみぢす

小松繁る芝生にかよわき女郎花《おみなえし》風にそよぎて淋《さび》しき村かな

川中の州に畠《はたけ》広くつくられてわらやの棟の二つ三つ見ゆ

柏木平《かしわぎだいら》駅に来たれば落合の館の跡は近き野にあり

猿ケ石川《さるがいしがわ》の流れに簗《やな》かけて河内鮎とりしあとの残れり

月見草咲けるあたりに白家鶏《しらかけ》の餌《えさ》ついばめる秋のさびしき

新岩手三景一の不動岩案内標あり増沢《ますざわ》の駅

山里ははや穂すすきも霜かれて老いし女の風情《ふぜい》しのばゆ

【編者注】横山省三…明治期の新聞記者。南部盛岡藩の出身。若い頃は自由民権運動に携わり、その後朝日新聞の新聞記者として、千島列島探検隊の特派員や日清戦争の従軍記者などの活動をする。日露戦争開戦に際しては特殊工作に従事。ロシア軍の東清鉄道爆破任務のためラマ僧に変装して満州に潜伏するが、チチハルにて捕縛されハルピンで銃殺刑に処された。

嫁菜草《よめなぐさ》尾花《おばな》の中に交はりてやさしく咲ける秋の野路かな

荒谷前《あらやまえ》駅の付近に増沢の館のあとの残れるときく

鞍迫《くらとめ》の観音近く見えそめて野におくこやしの臭気鼻つく

岩手二日町駅《いわてふつかまちえき》見れば山の如《ごと》つみかさねあり松杉の材

綾織《あやおり》の駅に来たれば糞蠅《くそばえ》の追ふても追ふても出て来るうるささ

綾織の駅に来たれば石上《いしかみ》の高山近くそびえてたてり

猿ケ石川のほとりゆ遠野なる城址《じょうし》の森をのぞみしかな

岩田氏は講演の為《ため》遠野より高橋使ともに降車なしたり

岩手県　不動岩

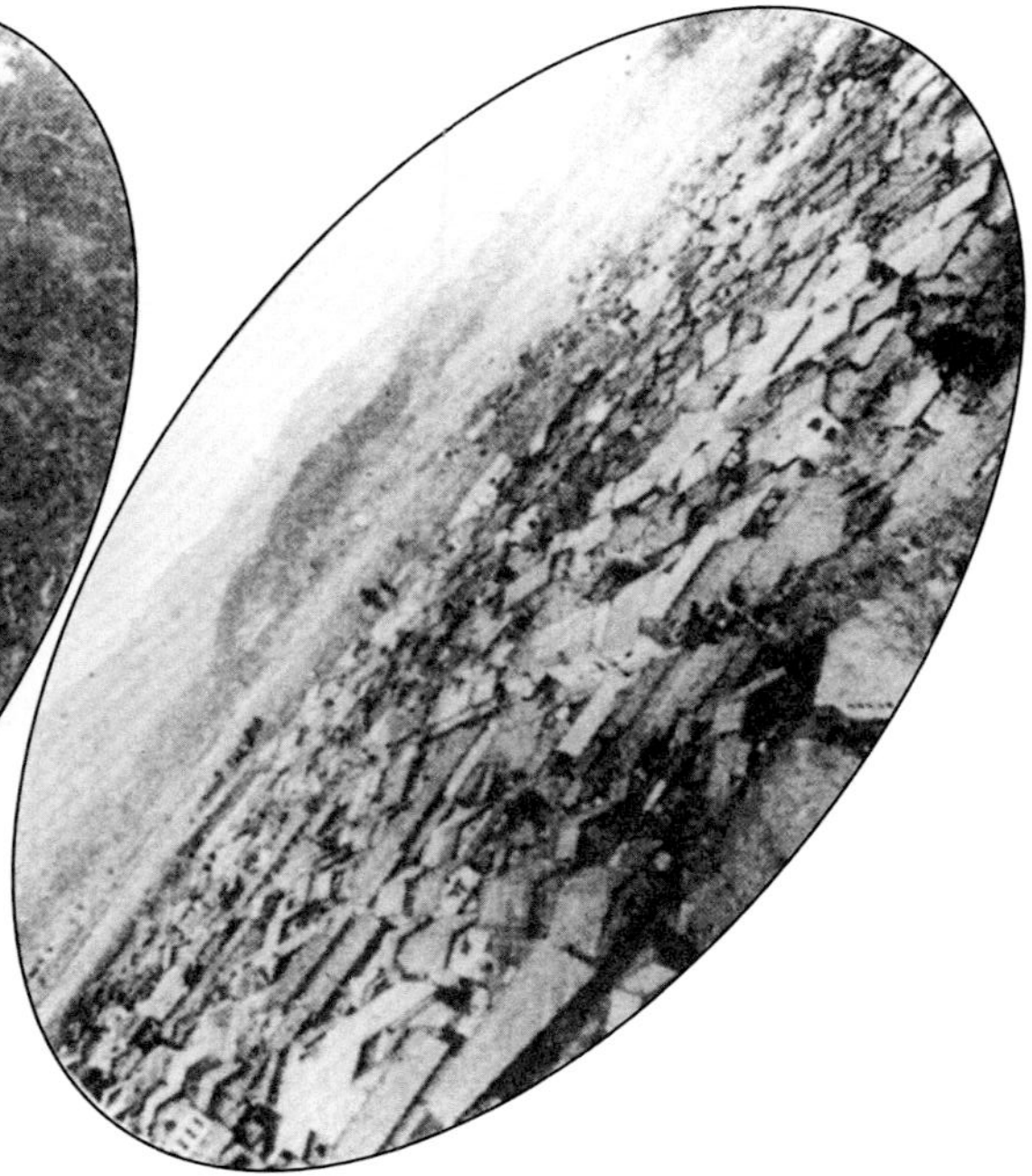

岩手県　遠野町の全景

雲ひくう天《あめ》よりおりて物見山《ものみやま》の森吹く風の寒き遠野よ

しらじらと尾花なびきて早瀬川《はやせがわ》の流れかそけき野の秋淋《さび》し

青笹《あおざさ》の駅ゆ仰ぎぬ六角牛《ろくこうし》の山ははろけく天にそびえぬ

高皇産霊《たかみむすび》神斎《いつ》きしてふ六角牛山《ろっこうしさん》は聳《そび》えぬ遠野のかなた

中沢川《なかざわがわ》橋の上にて信徒《まめひと》ら神旗ふりつつわが汽車迎ふ

畑中に青笹支部の家居見し旗ふりおくる人のはるけさ

関口ゆ佐々木由蔵外《ほか》四人同車し上郷《かみごう》さしてはせゆく

猫川《ねこがわ》の水なき瀬をば渡りゆきて百日紅《さるすべり》の花さく軒みぬ

三時半数多《あまた》の信徒の出迎へをうけつつ上郷駅に降車す

小燕号栗毛の駿馬《しゅんめ》にむちうちて大路ゆたかに支部に入りけり

○

本日旅行沿線の名勝を拾う

鳥谷ケ崎《とやがさき》城址に鳥谷ケ崎神社あり、花巻駅より五丁（約五四五メートル）。天照大神《あまてらすおおみかみ》、須佐男命《すさのおのみこと》ほか三神を祭る。康平年間（一〇五八～一〇六五年）清原氏源義家、安部貞任《あべのさだとう》征伐に際し岩清水八幡宮の分霊を奉遷《ほうせん》しのち、天文元年（一五三二年）稲荷神社、厳島神社の分霊を合祀。鳥谷ケ崎三柱神社と称し鎮守とした。あわせて北《きた》松斎《しょうさい》信愛《のぶちか》（注1）および南部政直（注2）の霊を祭る。北松斎は和賀《わが》稗貫《ひえぬき》（注3）の残党の来り攻むるに際しこれを全滅させ、以来両郡その堵《ちょ》に安んじた。智勇兼備、南部氏中興の名将で、また花巻の建設者である。明治二年廃藩置県とともに県社となったが、六年八月村社に変更降格した。

【編者注】（注1）北 松斎 信愛…戦国時代から江戸時代初期にかけての武将。南部氏の家臣。花巻城代を務めていた次男秀愛が死去したことにより七六歳で花巻城代となる。翌年、主君南部信直が没し隠居を望んだが、許されず重用された。この年、剃髪して松斎と号す。農業・商業・軍事面に力を注ぎ、花巻を城下町とする礎を築いた。

（注2）南部政直…江戸時代前期、陸奥国盛岡藩主・南部利直の次男。伊達政宗と内通していると目されていた岩崎城代・柏山明助を毒殺する画策の犠牲となり、明助とともに急死する。酒宴の席上、毒の盛られている盃を、明助に先立って父・利直に勧められ、分かっていながら仰ぐ。

（注3）和賀《わが》稗貫《ひえぬき》の残党…豊臣秀吉による奥州仕置に反発する陸奥国人・領主により、天正十八年（一五九〇年）蜂起がおこり鳥谷ヶ崎城が占拠されるも、翌年、再び仕置軍により奪還される。十年後その残党が伊達政宗の支援を受け蜂起したもの。南部氏により鎮圧されている。

花巻祭はもと延寿寺観音の祭礼で、九月十七日であったが後八月十七日より三日間としたは、名将北松斎の忌日が八月十七日なるによりかねてこれを祭るによるなりという。

矢沢駅の西二町（約二二〇メートル）稗貫《ひえぬき》郡矢沢村《やさわむら》胡四王《こしおう》山頂に**矢沢神社**あり。郷社で大穴牟遅命《おおなむちのみこと》、少名彦名命《すくなひこなのみこと》を祭る。社殿の北向きなるは特異とすべく、坂上田村麻呂《さかのうえのたむらまろ》の草創するところ、稗貫為重《ひえぬきためおも》の崇敬厚く、もと医王山《いおうぜん》胡四王寺《こしおうじ》と称し、本地仏は薬師如来なるが夷神《えびすがみ》を祭れるならんという。祭日は五月八日。

五大堂は矢沢駅北三十町（約三・三キロメートル）稗貫郡八重畑村五大堂光勝寺内にあり、承和年中（八三四〜八四八年）慈覚大師（注・円仁）の建立、不動明王《みょうおう》および大威徳金剛夜叉《やしゃ》、軍荼利《ぐんだり》夜叉、降三世《ごうざんぜ》明王を祭る。

国宝**毘沙門天**《びしゃもんてん》は、土沢《つちざわ》駅の西南一里（約四キロメートル）和賀《わが》郡十二鏑《かぶら》村成島にあり。丘陵の上、老杉矗々《ちくちく》（注・高くそびえるさま）陽光を遮り、静寂森厳の気満つ。嘉祥三年（八五〇年）慈覚大師の草創で本尊毘沙門天は丈一丈三尺五寸（約四・一メートル）運慶の作という。吉祥天女像《きっしょうてんにょ》ならびに二鬼像とともに国宝に編入せられた。天邪鬼《あまのじゃく》を踏める毘沙門天《びしゃもんてん》は共に欅《けやき》の一木をそのまま刻んだもので威容生けるがごとき名工の作、当時北奥の燦《さん》たる文化を雄弁に語る。

立沢簗《やな》は岩根駅の西五丁（約五四五メートル）上閉伊《かみへい》郡達会部村にあり、猿ケ石川《さるがいしがわ》はその流域至るところ奔流急湍《きゅうたん》（注・流れの速い浅瀬）をなすが、ことにこの付近は奇岩怪石 磊々碧潭《らいらいへきたん》 白波踊り、嵐光水色すこぶる景致（注・景色の趣《おもむき》）に富む。加うるに名産の鮎は清冽《せいれつ》なる流水に水垢《みずあか》に肥えて香味佳絶、付近に川内、田瀬、淵の欠、矢崎などの簗瀬《やなせ》あり八月から九月の漁期清遊を試みるもの絶えないという。

鍋倉城址《なべくら》は遠野駅より五町（約五四五メートル）物見山麓《ものみやま》にあり、天正年間（一五七三〜一五九二年）阿曾沼《あそぬま》広郷《ひろさと》（注）の築く所、慶長年間（一五九六〜一六一五年）南部氏の領となった。今塹壕《ざんごう》、馬場、的場などの跡が存する。山腹に鍋倉神社ありて遠野南部氏の祖師行《もろゆき》、政長《まさなが》、信光《のぶみつ》を祭る。元弘建武の際、勤王に尽くし綸旨《りんじ》（注・天子の命令）刀鎧《とうがい》（注・刀とよろい）を賜ったが、今宝物館に蔵めてある。境内広く桜樹老杉鬱蒼として森厳、展望また佳絶なりという。

また今日下車せし上郷《かみごう》駅の先に仙人峠《せんにんとうげ》駅あり、この駅より東へ二町（約二一八メートル）、早瀬川の両岸にあまたの洞窟あり、みな石灰岩の侵食したものでこれを沓掛岩窟という。観音窟は早瀬観音を安置する。閉伊《へい》頼基《よりもと》の室《しつ》（注・妻）音羽姫の崇敬せしもの付近に偽銭を鋳造したという銭鋳窟、巨岩堅々分かれて岩下に洞口ある竪割岩、鍾乳石、垂下し、蝙蝠《こうもり》窟などがあり片岩、鳴岩、根屏風岩などの名勝があるという。

【編者注】阿曾沼広郷…奥州の豪族。鍋倉城主。源頼朝の奥州征討に従軍した阿曾沼広綱を始祖とする。豊臣秀吉の小田原征伐に参陣しなかったため所領を没収され、南部家に預けられた。

仙人峠は胸つき坂を登ること半里（約二キロメートル）九十九《つづら》折りの険路を降ること一里、踏破するに二時間を要するが山駕籠《かご》の便もある。山頂斧鉞《ふえつ》（注・おのとまさかり）の入らぬ原始林ありて展望また雄大、大橋《おおはし》駅は脚下にありて眼下に展開する太平洋の浩波渺茫《びょうぼう》として水天に連なる。山頂仙人を祭る小祠《しょうし》あり、茶亭あり、海抜八百八十七メートル、四月山頂に残雪を踏んで東麓に達すれば椿《つばき》の咲くを見るという。

○

久し振り駿馬《しゅんめ》にまたがり町行けば老若垣を作つて見守る

風通りよき桑畑の家に入りくつろぎおれば夕雨のふる

コスモスの花庭の面《も》に震ひつつたそがれにけり秋雨の空

あちこちと畑の中に草の家の静かに立てる上郷《かみごう》の里

新しき湯殿に入りて一日の汗流しけり疲れやすめり

腹痛み肩こり歯ゆるみ胸つかへ頭の重き雨の夕暮れ

学校の講演会にのぞまんと吉原宣使勇み出《い》でゆく

夕暮れの雨はやうやく降りやみて桑の園生《そのう》に秋風渡る

草枕旅にし出でていたづけば淋《さび》しさまさる秋の夕暮れ

清月は肩もみ梅風は足をもみ如月日記の代筆をする

三百里山河隔てて旅の空病む夕べほど寂しきはなし

つくづくと聖地が恋しくなつて来た別にお媽《かか》に用はなけれど

たまさかにお媽に関する歌よめば意味のありげな咳払《せきばらい》する

歯に毒な梨《なし》沢山に盆にのせ出す信徒《まめひと》の気のきかぬかな

小夜ふけて吉原其《そ》の他の宣伝使講演終わりていそいそ帰れり

○

附　記　稗貫《ひえぬき》支部より花巻駅まで見送られし信徒左のごとし。

大川由蔵、鎌田新太郎、熊谷新蔵、佐々木駒蔵、佐藤広治、大

川長十郎、藤原一郎、藤原堅治、板垣清太郎、晴山まこ、渡辺みえ、石森佐太郎、金沢立身、照井新太郎、佐々木文太郎、小田島まつ、高橋精一。

花巻温泉支部より同駅まで阿部みつえ、筑後源太郎の諸氏。

花巻より同車巻車されしは佐藤直文、晴山理吉、藤原善七、菊池盛一郎、勝又六郎の諸宣伝使にして菊池使は宮守駅より下車、高橋吉三郎使と交代せり。

遠野駅にて出迎えられしは村上順平、桑畑鶴松、菊池長治、菊池巳之助、佐藤初郎、宮田一之倉、高橋吉三郎らの諸氏にしてそのうち桑畑、菊池長、菊池巳の宣使は上郷《かみごう》まで乗車せり。

○遠野町付近の名勝をよめる

鳴球氏講演のため出張せし遠野の町の栄えたるかも

国のためいのちを捨てしもののふの霊を斎《いっ》ける忠魂碑かな

天然石以《も》ちて造りし階段を登れば多賀のかんなび清し

北身延《みのぶ》日蓮宗の名刹《めいさつ》と名に知られたる智恩寺の秋

若松の林栄えて風致よく清《すが》しく立てる八幡の宮かな

階段を長く刻めば深林の木陰に清き鍋倉宮あり

猿ケ石川に姿を浮べつつ風光妙《たえ》なる鍋倉城跡

丘の上に神さびて立つ老木の眺め清けき大日山《だいにちさん》かな

人力車いまだ残れる遠野町一日市の賑《にぎ》はしきかな

北国の荒野ケ原に立派なる宝物館ある遠野町かな

女にも文化の空気吸はせんと田舎にもある女学校かな

千丈の壁立つ岩に面白き老松茂る不動岩かな

御成婚記念の石柱相並ぶ伊勢両宮の沙庭静けし

○

ざわざわと雨ふり出《い》でし此《こ》の夕べ一入《ひとしお》故郷の偲《しの》ばるるかな

桑畑の幕内秋の神集ふ（桑畑氏の支部）　香鹿

降りながら月の明かりや葡萄《ぶどう》棚（遠野村上邸）　鳴球

九月三十日　　於　宮本支部

朝から大空は灰色の雲一面に塞《ふさ》がり、あまり良き気分の天候でもないのに、くわうるに歯は痛み頭は重く胸苦しく、一日も早く聖地に帰りたく思うばかりで、何の興趣もなく北国の秋の旅を続くる苦しさは到底聖地の人らの想像以外である。半切揮毫《きごう》も偶《たま》には頼まれる、短冊はいやでも応でも描《か》かねばならず、地方人に面会もしなくちゃ済まず、実にほつほつ旅の苦を悟り初めたり、秋の日に。

どんよりと空は曇りて風もなく朝早くより歯の痛む吾《われ》

秋の日の遠の旅路にくたびれて聖地恋しく帰心矢の如《ごと》し

午前十時半、岩田宣伝使は遠野を立ちて上郷《かみごう》支部に来り、愛善会支部設置の予定なりしことを報ず。

村役場の吏員、村会議員、学校職員その他の村人、病に悩める王仁に、面会を次々請わるるまま、苦痛を忍びて接見をなしぬ。ああ身体の肉を削り血を搾らるるの心地して、しみじみと神使の苦を知りぬ。

宣伝使や信徒なればたとえ幾百日間でも幾十万人でも面会して少しも疲労を感ずるようなことはないが、未信者として面会を求むる人の中には、好奇心に駆られてちょっと見て来てやろうくらいな人もあり、懐疑心をもって対するもの、自分を禁厭《きんよう》（注・禁厭…まじない）で病気を治す祈祷師《きとうし》と見て来るもの、野心家と見て来るもの、山カン（注・山カン…山師、詐欺師）と見て顔を見に来るもの、とにかく天下の名物として見んとするものなぞ千差万別一として真面目なるものなく、その霊性の残らずわが心魂に反映して苦しきこと限りなし。一日も早く聖地に帰りたく思うもこの点より起こるものなり。人の肉体心力には限りあり、思いやりなき壮《わか》き人々との旅ぐらい辛きものはなく苦しきものはなし。天狗や狐狸《こり》のサックと会うたびごとに頭痛む心地していとも寂しく滅入《めい》る思いぞすれ。

帰途、再び名馬小燕に跨《またが》り停車場に向かい、午後一時八分というにあまたの信者に見送られ、わが一行のほかに桑畑鶴松、佐々木栄四郎、菊池金蔵、同長治、同まさえ、同政治、同武夫、本田武、佐藤文雄、晴山理吉、藤原善七、田端さき、大和春江、菊池巳之助、同耕三、佐々木鷹次郎の諸宣信徒 同車、宮守の宮本支部に送らる。そのうち遠野駅に下車せし人七人あり。村上順平氏 駅頭に出迎えあり。ここに稗貫《ひえぬき》支部長 晴山理吉氏はわが一行の手荷物を仙台まで送るべく、宮守駅より別れて盛岡支部に向け乗り越し出発されたり。

午後一時支部を立ち出《い》で小燕の名馬に跨《またが》り駅に向かひぬ

宣信徒あまたプラットに整列しわが一行の汽車見送れり

コスモスやダリヤの花の乱れつつ風になびける上郷《かみごう》駅かな

六角牛山《ろっこうしさん》の高峰を右手《めて》に見て一千二百尺高地を馳《は》せ行く

（注・一千二百尺）

青笹《あおざさ》の支部畑中の一つ家に信徒神旗ふりて見送る

猫川の橋渡り行く間もあらず関口《せきぐち》駅にかけ入る軽鉄

関口橋をわたりてゆけば小松むれ尾花《おばな》乱るる青笹の駅

早瀬川の河原白々しひそやかに流るる水のすめるすがしさ

早池峰《はやちね》の遠山 裾は右手《めて》はるか仰ぎつ早瀬の川にそひゆく

その上はくさぐさ事のありたらん遠野城址《じょうし》の森静かなり

曇り居《お》れば秋は淋《さび》しき北国の野にまあかるき月見草かな

うすぐもる遠野の空の駅前の宵待草《よいまちぐさ》のあかるき色かな

猿ケ石の鉄橋の上をわたりゆく老爺《ろうや》のありてわが汽車とまる

猿ケ石《さるがいし》の流れの上の付馬牛《つけまうし》猿によく似し石のありてふ

【編者注】 一千二百尺…換算すると約三六四メートル。なお六角牛山の現標高は一、二九四メートル。

上下左右マッチ箱汽車にゆられつつ淋《さび》しき秋の北の野路ゆく

コスモスの赤きが軒になびきつつ綾織《あやおり》の駅人かげさびし

休憩所の二階の雨戸閉《し》めてありき岩手二日町《いわてふつかまち》の駅のひそけさ

桐《きり》の葉の一つ散り来ぬわが汽車のあふりの風をうけしわくらば

放ち飼ゐの馬は遊べり灌木《かんぼく》のしげみの野路を下に見て行く

増沢の駅のあたりの山はだの白々見ゆる岩山にかあらん

四方の山はしたもみぢしぬ猿ケ石の清き流れをあさくそめつつ

岩山をきりくづしたる断崖の下道走れば松山すがしも

午後二時五十分、宮守《みやもり》駅に下車すれば、当地の村長にして支部長なる菊池盛一郎氏をはじめあまたの信者や小国民、各自に手旗を持ち駅頭に出迎う。菊池氏がさしまわした鹿毛《かげ》の駿馬《しゅんめ》にまたがり、駅前よりトロト口坂を下りてゆけば、早くも支部所在地　菊池氏の邸なり。入口に待ちかまえた写真師はわが乗馬姿をレンズにおさむ。それより一同とともに庭前に並びて記念の撮影をなし、次いで神前に神言を奏上し終わる。

菊池氏邸は広大なる家居にして風通りよく、泉水のやり水の音など潺々《せんせん》（注・浅い水がよどみなく流れるさま、音。）として心胆を洗い、住み心地よし。折しも仙台より千代分所長村松宣伝《せんだい》使をはじめ瀬戸、大槻、鈴木の宣伝使出迎えのためはるばるいで来り、東北日記第二巻三冊を送り来る。待ちかねたるわが一行は飛びつくようにして封をおしきりしばし耽読《たんどく》す。

○

増川康氏より

拝啓　ますますご勇勝にてご巡教の御事《おんこと》とお喜び申上候《もうしあげそうろう》。蝦夷《えぞ》ご巡教の折は一方ならぬご厚恩に預り候《そうろう》段　深く御礼申上候。日増し寒さ相増し申候処《ところ》ご一同様には特に聖師様にはお変わりもあらせられず、日夜ご神務にご多用の御事とお察し申上候。　蝦夷お別れ後毎日毎日の降雨にて寒さ日々相増し、目下のところにては十月末日のごとくに有之《これあり》候。定めし内地地方も蝦夷同様かとご案じ申上候。　特に昨夜より降雨はげしく、それに今朝三時半ごろより大雷風雨と相成り、近年に見ざる大粒の降雹《こうひょう》有之《これあり》、山野は更なり植物の葉のごときはホウソウやみの顔のごとくに相成り申候。　参考までに茄子《なす》の葉一、二葉お送り申上候。　大雪山のごときは昨年より五日も遅く降雪ありたるに地方として誠に珍しき

出口聖師　岩手県宮本支部に到着の光景

岩手県　宮本支部における出口聖師と宣信徒

現象に有之候。　この分にては甚大なる被害の場所もあることと存じ候。
まずは取り急ぎご通知申上候。

雨あられ雷公さんもとび出して変遷さとす蝦夷ケ島《えぞがしま》かな　康

天地の神のみめぐみ幸ひて蝦夷人救ふ貴美《きみ》ぞ畏《かしこ》し　同

雹《ひょう》の降る蝦夷ケ島根の人々の心の奥ぞさびしまれける　同

降る雹に葉のことごとく穴となり　同

○

仲秋の月照る蝦夷に雷鳴のとどろき渡る年の怪しも　閑楽

蝦夷千島樺太《からふと》までも旅をして人のやさしき心に酔ひけり　同

雷公は雲のステージにあらはれてゴロゴロピカピカジャージャー品やる　同

茄子《なす》いたむ拳《こぶし》の雹なる蝦夷凄《すご》し　同

○

波涛《はとう》万里いく日を無事に渡りませ　喜楽

山河や海新たなり教《のり》の旅　閑楽

ふらふらと天恩郷に住まされて君の御旅行偲《しの》ぶ此《こ》の秋　喜楽

最愛の君ある霊国神苑はわが憧憬《しょうけい》の国にぞありける　閑楽

○

み手づから岐美《きみ》記しまし文読みつ感激におののきぬ血多き吾《われ》は　照月

幾度も便りし度《た》くは思へども暇なき身を赦《ゆる》せ神の子　閑楽

一日も岐美の慈顔にまみゆるの日の早かれと祈る吾かな　照月

一日も早く霊地に帰らんと心矢竹にはやる旅かな　閑楽

恙《つつが》なく岐美は御業を了《お》へまして帰り給ひね御子等《みこら》待つ地に　照月

伊都能売《いづのめ》の御業了へて最愛の御子に逢ふ日の待たるる旅かな　閑楽

○

こよいは広き宮守の村長の宅に宿泊して庭の面を見れば、十七夜の清月天に皎々《こうこう》として輝き、松虫、キリギリスの声も涼しく何となく歯の痛む身ながら気分すがすがし。稗貫《ひえぬき》分所にて十四日の小望月《こもちづき》の清きを病中窓をすかして垣間見《かいまみ》しより仲秋の明月も十六夜《いざよい》の月も曇天《どんてん》にて見るを得ず。失望落胆その極に達し悲観的気分に襲われしが、こよいの清月を仰ぎて全然愉快の感に打たれ恍惚《こうこつ》として長旅の苦を忘るるに至れり。ああ人間は月の影ほど力になるものはなきかな。ことにわが身に取りては月こそ実にその生命の大半を占むるにおいておや。

宮守の里にて旅の宿を借り心ゆくまで月を見しかな

月見れば千々に物こそ悲しけれ我身ひとつの秋にはあらねど、昔詠《よ》みし歌人あれども、なぜかわが身には秋の夜の明月くらい心の力になるものはなく、楽もしき物はなし。秋の寂しさも風の冷やかさも虫の声も明月の夜は、ひとしお華やかにぞ聞こゆ。

やり水の音さえ渡る庭の池にうつれる月のさやかなるかな

虫の音《ね》もいと楽もしく聞こゆなり月清く照る秋の夕べは

十七夜月の光の隈《くま》もなくかがやき渡る岩手の空かな

仙台より迎えのため出張したる四宣伝使の土産として贈られたる果物籠を開けば、珍しくもわが大好物の柿と蜜柑《みかん》、大房の葡萄《ぶどう》あまたあり。

初物にて七十五日生き延びんと喜び勇みて一行とともに嗜食《ししょく》す。夕方より小学校講堂に講演のため出張したる岩田、吉原両氏および宮本支部長その他の宣伝使は、清き月光を浴びて勇ましく帰陣し、聴衆いずれも真面目にして大いに反響ありたる様子なりしは嬉《うれ》しくたのもし。東北日記第二巻を小西郷に読ませつつ静かに寝に就く。

爽やかに新畳にほふ大家かな（宮本支部）　香鹿

月出《い》でて遣《や》り水白し十七夜（同）　鳴球

◇九月三十日　宮城毎日新聞記事
来仙する大本教の

出口王仁三郎氏
岩手県下の布教を終えて

仙台市に二カ所、本県下に十八カ所の分所を有し、多数の信徒を集めている大本教主出口王仁三郎氏は、岩手県下の布教を終え十月一日午後二時二十分、仙台駅着の列車にて来仙することに決定したが、同夜は定禅寺《じょうぜんじ》通り櫓《やぐら》丁　大本瑞祥会千代《せんだい》分所に、二日は元寺小路　仙台第二分所　佐沢広臣氏方に投宿するはずである。しかして本県下布教日程は着仙後に決定する見込みであるが、二日午後七時半、市公会堂および県会議事堂にて講演会を開き、同行の岩田久太郎氏、吉原亨氏が講演すると。

◇九月三十日　山形新聞記事

ゾヨの御大
出口氏の獅子吼《ししく》
東北に散在する信徒連
教主様々で押し掛ける

（仙台電話）大本を信ぜぬ者には真の幸福は得られないゾヨとばかり説き聞かして日本内地はもちろん、中国、朝鮮、欧米各国に二百余万の信徒を有し、それから救世主と仰がれている出口王仁三郎氏は、北海道よりの帰途仙台に下車し、二日午後七時から市公会堂において大獅子吼《だいししく》を試むることとなり、一日午後六時、着仙することになった。ここにおいて東北に散在するゾヨ教の長髪信徒連は教主様の姿を拝みその息をかけてもらおうと仙台市に乗り込んで以来、千代分所は時ならぬ多忙さを見せている。

十月一日　於　千代《せんだい》分所

肩の凝りはなはだしく歯痛み頭重く、くわうるに腹の具合よろしからず、眠られぬままに夜を徹し家鶏《かけ》の声に雨戸一枚くりて庭園に立ちいで、思うまま朝の清浄な大気を吸わんと、ふと西天を仰げば、有明の月かげ山の端に近づきつつ清らけき余光を保って、朝起きのわれを微笑するに似たり。庭のやり水の音は、秋の虫の奏楽にも似て優美の感を与う。肌冷やかにして重ね衣《ぎ》の身もあまり暑からず、気分ことさらに良し。

朝の庭ふみてしあれば西山に有明の月冴《さ》へて懸れり
小雀《こすずめ》の声かしましくなりし時寝屋の電灯パッと消えたり

先々月の十二日武生《たけふ》分所を振り出しに、越の国、出羽、陸奥《むつ》、蝦夷ケ島《えぞがしま》、樺太《からふと》、千島などを経、青森、岩手両県下を巡遊し、前後八十三日の日子を費やし、ようやく宮本支部に落ちついた。その間、各分所支部はいずれも、わが旅行のために家の修繕をなし湯殿大小便所などを新築して、歓迎されし分所支部長役員信者の好意を感謝す。当支部また湯殿、便所など新しく造られ、通路に新しき桟敷《さじき》路を造られあるその注意周到なる好遇に感謝やまざるなり。

今日もまた昨日とは別の駒にまたがり八時五十分発の花巻行きに乗り込むべく、わが一行六人のほか千代分所長 村松山寿、大槻貞一郎、瀬戸幸次郎、仙台第二分所 鈴木金六、紫波《しわ》分所 佐藤直文、宮本支部 菊池盛一郎、高橋吉三郎、同キク、同カヲリ、浅沼留吉、多田ハル、上郷《かみごう》支部桑畑鶴松、菊池長治、新堀支部 藤原善七、勝又六郎、黒沢尻 大和春江、東北分所 田端さきの諸氏、同車仙台その他の各地に見送らる。

午前九時前 宮守駅たちて花巻仙台さして出《い》で行く

川水の底すきとほる見下ろしつはればれ岩根橋《いわねばし》駅にゆく

玉簾《たますだれ》かけたる如《ごと》き滝水の清くも流るる発電所かな

風呂敷の包みを負《お》ひて行く人のあとよりやせ馬曳《ひ》きて馬子《まご》ゆく

晴山《はるやま》の駅に来たれば横川氏志士の目標はげて淋《さび》しき

黄ばみたる稲田の広く開けつつ秋陽《ひ》にはゆる土沢《つちざわ》の駅

老松の高く茂れる丘みえて小山田《おやまだ》の駅秋の日すがし

岩手富士東根山《あずまねやま》のかげ清く秋陽にはゆる岩手平原

水清く水勢はやき北上の川に沿ひつつ矢沢《やさわ》に入りけり

山かげの林に栗のたわたわと風にゆれつつ秋陽輝く

目にたちて天に冲《ちゅう》する大杉の一本見ゆる似内《にたない》の駅

古《いにしえ》の英雄すみし城跡に公園開けし鳥谷ケ崎《とやがさき》かな

花巻の共立病院見えながら鳥谷ケ崎駅汽車はかけ入る

鳥谷ケ崎駅より信徒《まめひと》ただひとり同車し吾《われ》を見送りてゆく

十時半花巻駅に安着し十分余り停車場に待つ

宮様の御通過ありと盛装をこらせし男女立ちて迎へり

午前十時五十分、閑院宮様ご通過とゆきちがいにわが一行は仙台行きに乗る。

この地方に面白き伝説あって、ある神様と神様が夫婦けんかをたえずおっぱじめ、仕方がなかったので六角牛山《ろっこうしさん》の高皇産霊《たかみむすび》の神様がきびしい裁判をされた結果、女神を去らしめたその地名を今に相去《あいさり》村という。そして男神の方をきびしく叱りわけられたので、この神の祭ってある赤石《あかいし》の里の氏神を志賀理和気《しかりわけ》神社というとの昔話を聞いた。

黒沢尻《くろさわじり》の駅を突破すると、和賀川《わがかわ》の浅い流れに沿うて天賞地《てんしょうち》（現・展勝地）と称する岩山があって、枝振りのよい松の老木が茂っている。そして和賀川の川幅は非常に広く、この岩山からはことさら眺望がよいとのことである。

岩山に松茂りつつ和賀川の岸にそひたる天賞地かな

道の辺に銀杏《いちょう》の扇秋風にそよぎて立てる黒沢尻かな

右手の空高く駒ケ岳《こまがたけ》 雲表にそびえ、またの名を栗駒岳《くりこまだけ》ともいう。積雪深く春さきになって雪が消えはじめると、山腹に爺さんが種蒔《ま》きしている形に雪が消え残り、次にはだんだん小さくなって駒の形になり、最後に鴟尾《しび》（注・大建物のむねの両端に取り付ける魚の尾の形の飾り）の形に消え残るという。この雪の消え残る形によって駒ケ岳というとのことである。

雲表に高くそびゆる駒ケ岳雪消しのあとに名をしられける

国道の松の並木を右に見て胆沢川《きもさわ》をわたりゆくかな

自動車と汽車の衝突ありしてふ金ケ崎《かねがさき》駅静かなりけり

稲の田は広くひらけて秋の日の農家の棟にきらきらはゆ見ゆ

頼時が桜うゑしと伝へたる束稲山《たばしね》にけぶりたつ見ゆ　（注・頼時）

金成の吉次の伝説面白き前沢《まえさわ》駅を突破して行く

午後零時十二分、一行平泉駅に下車す。畑中貞蔵といえる人、無名の信者と名乗って出迎えながら中尊寺の案内をなしくれたり。ここより晴山理吉、萱場有信、勝又六郎の三氏は荷物を持ちて先行せり。

○

平泉は、陸中国西磐井郡平泉村にして、古《いにしえ》陸奥《むつ》国磐井《いわい》郡吾勝《あかつ》郷の邑名《ゆうめい》なり（陸奥郡考にいう、撰集抄に平泉郡とあれど郷里を指して郡ということ多し、と）。

この邑《むら》および中尊寺、戸河内、達谷、衣川（衣川は胆沢郡に属せり）四邑を衣の里という。これらの諸邑皆同郷なりしなり。この書、平泉の古跡に係ることを主と記すにより、その本名を挙げて綱領とす。

（案ずるに相原友直の平泉雑記に、中尊寺は藤原朝臣《あそん》清衡《きよひら》建立以後の名にして元平泉の内なるべし、今、二村となれるは後世検地の時に、平泉広きゆえにこれを分かちて中尊寺村を置きたるにや、といえり。中尊寺の縁起に、当寺は慈覚大師の開基にして、その後五十六代清和天皇の御宇《ぎょう》（注・天皇の治める御代）貞観元年（八五九年）に中尊寺の号を賜《たま》い、四至の境を定めらる、という説によれば寺号の起これるは清衡以前にあり。中尊寺の山号を関山というは衣関に

縁あり）

平泉館《ひらいずみやかた》

伽羅《から》御所もこれに属し（また嘉楽館と称し嘉楽を伽羅楽とも書せり、平泉雑記に屋材に伽羅樹を用いたる故にこの名ありしならんといえり。あるいは伽羅と名づけしは黒漆《こくしつ》して唐様に造れるよりいいたるか）、旧跡は中尊寺中現在の金色堂正面に当たり、十余町（約一・一キロメートル余り）を隔つ高館《たかだち》の南にして無量光院（新御堂とも号す）跡の東北なり。

（従来御所屋敷の名あり、その地、東西三町（約三二七メートル）南北三町ばかりの平地にして、今、田んぼとなり農家数軒あり、官道を挟《はさ》めり）

本館は藤原朝臣清衡《きよひら》三代の居館にして秀衡《ひでひら》の世子泰衡《やすひら》も相継いでこれにおれり。

（案ずるに東鑑《あずまかがみ》にいう、無量光院の北に並べ宿館を構え云々《うんぬん》、同院の東門に一郭を構え伽羅楽と号す、秀衡居なり、泰衡これを相継いで居所となす、と。この宿館は、すなわち平泉の館にして本館に準にしては伽羅御所をも柳御所をも相包《か》ね、その名を平泉館と呼ぶなるべし）

初め清衡、奥六郡を領し江刺郡餅田郷豊田館におりしが、嘉保《かほう》元年（一〇九四年）この平泉館を営みて移れり。これを奥御館《おくのみたて》と称せり。

館の南に酒泉の跡あり。昔時、醴泉《れいせん》（注・美味しい水の出る泉）ここに湧きいでその水、甘味なるをもってこの名ありしは平泉繁昌の時の祥瑞《しょうずい》といえり。里俗（注・地方の習わし）語り伝えて泉酒と称せしか。今は廃《すた》れたり。

西木戸第《にしきどてい》

（あるいは錦戸とも書く）

旧跡を八花形ともいう。この館は秀衡の長子 西木戸太郎国衡《くにひら》の居所、その右隣は同四子 本吉冠者高衡《もとよしかんじゃたかひら》（また隆衡）の居所なり。

（東鑑に西木戸に国衡の家、隆衡の宅、相並び云々とあり、西方の郭門《くるわ》を西城所と号してその方位に当たれるなるべし。

隆衡の居所は、本所は本吉館と号し本吉《もとよし》郡志津川邑《しずがわむら》にもあり、本吉は領地にしてその治めるところの館なるべし。これを朝日館ともいえり。

また東鑑に観自在王院南大門の南北路の東西および数町に宿倉町を造営し、また数丁の宅を建て高屋の西南北数十字の車宿あり云々。

八花形は南大門跡の近傍にあれば、これらも郭内にして館舎続きなりしなるべし。）

忠衡第《ただひらてい》

旧跡つまびらかならず。三男泉《いずみ》三郎忠衡《ただひら》の居所なり。（東鑑《あずまかがみ》に「この居所、泉屋の東にあり」といえり。案ずるにかの酒泉の辺りを泉屋というか、もししからば平泉館に属せるなるべし。一説に「琵琶の柵、すなわち泉城にしてこれに住す」といえり）

柳《やなぎ》の御所《ごしょ》

旧跡　平泉館《ひらいずみやかた》の北にあり。初め清衡《きよひら》、基衡《もとひら》の居所にして古来の名称なり。のち前民部少輔《しょうゆう》（注・昔の各省の次官）藤原基成《ふじわらのもとなり》これにおり、源義経もまた都を落ちて秀衡《ひでひら》のもとに来りしその初め、これにおりしなり。

この館は高館《たかだち》の下にして東にありというも、高館は義経のために更にこの館を分割して築かれしものと見ゆれば基成の居とは別なれど、元これ同じ柳御所の境内なるべし。今の地形を察するに、河流の変ずるに随《したが》

い沿岸の地　壊崩して狭隘《きょうあい》（注・せまくるしいこと）に至れるなり。今、柳御所と称する所は高館の東南、新山社の下地にして倉所田んぼの地なり。

（古絵図に二の丸とあるはこの辺りなるべし）

猫間淵《ねこまぶち》

高館の東南にその跡あり。平泉館と柳御所との間にして今は田んぼなり。地勢を察するに高館の捏渠《ねつきょ》（注・作られたみぞ）より続きて当時　要害の所にありしなり（高館の変（注・源義経の終焉となった戦い）に二十丈（注・約六十メートル）の大蛇この淵よりいでたりというは清悦物語《せいえつものがたり》（注）の怪説なり。中尊寺の宝物中に遺れるはその蛇の歯なりといい伝えり）。

俗説に猫間は、扇前という女房　この淵に身を投じて死せしゆえに、この名ありとも（あるいはその亡霊、大蛇となるともいえり）。また、猫間扇に似たる石、中島にありしゆえに号すともいえり。

（相原氏の旧跡志にいう「案ずるに、京千本釈迦堂は秀衡の建立にしてその地は猫間中納言光隆卿《きょう》（注・政治を司る省の長官）の家司《いえづかさ》（注・親王摂政の家の庶務を司る職）岸高宅地を捨て寺とせし、と甕州附志《おうしゅうふしい》に出ず。猫間というは、これらによる事績ありしにや」といえり。）

【編者注】清悦物語…源義経が亡くなった後、家来の一人は不死の仙薬を得て生きながらえ、江戸初期になって清悦と名乗り現れ、伊達家において詳しく義経のことを語ったと伝えられる。伊達家に仕える一人が、その内容を聞き取り記したのが、この物語。

無量光院跡《むりょうこういんあと》

（新御堂と号す。俗にシンミドウと称し、また訛《なま》りてシミンドウともいえり）

高館《たかだち》の南にして伽羅館跡の西隣なり。秀衡《ひでひら》これを建立す。堂内の四壁に観経の大意を図す。狩猟の図は秀衡自ら描きしといえり。本尊丈六の弥陀なり。院の荘厳ならびに地形に至るまで宇治平等院を模せりとぞ。三重堂跡、鐘楼跡、梵字池《ぼんじ》（弥陀《みだ》の種字の形を掘りしという、院跡の前にあり）今この地すべて田んぼにして、その間の礎石庭石などまれに残れり、毛越寺《もうつうじ》に属す。

（案ずるに東鑑《あずまかがみ》、平泉炎上の後、頼朝卿 歴覧のことあれば泰衡《もとひら》亡滅の時放火すと言い伝えるは誤りなるべし）

当院の侍僧助公、文治《ぶんじ》五年（一一八九年）十二月、泰衡《やすひら》の跡を慕い反逆の聞えあるよし嫌疑を受け囚虜《しゅうりょ》となり鎌倉の庁に出さる、けだしこの詠歌によるか。

昔にもかへらぬ夜半《よわ》のしるしとて今宵《こよい》の月もくもりぬるかな

梶原景時《かじわらかげとき》の推問に対し、九月十三日夜、月色 浮雲のために覆われ 懐旧の情に堪えず この歌を詠吟せしのみにて 更に異心なき由 陳ぜしかば、景時これを嘉《よみ》しすなわち頼朝卿《きょう》に言上に及び、頼朝卿 感心のあまり褒賞して本所に遣還さる、と東鑑に見えたり。

金鶏山《きんけいざん》

高館《たかだち》の西南に当たれり。秀衡《ひでひら》 その形を富士山に擬し高さ数十丈（一〇丈は約三〇メートル）に築き黄金にて鶏の雌雄を作り、この山上に埋めて平泉の鎮護とせしなりと。また郷説に、秀衡 漆《うるし》一万盃《ぱい》に黄金一万を混えて土中に埋蔵し置いて子孫に譲り伝うるといえるは、けだしここなるべしと、その時の歌なりとて、口碑に伝え俗間に唱う。

朝日さし夕日輝く木の下に漆万盃こがねおくこがねおく

案ずるに昔時、ここに巨万の遺金を埋蔵し、かつこの秘歌を伝えりとも評すべけれど、世にはこれに類せる諺《ことわざ》よそにも間々あることなり、付会《ふかい》（注・無理につなぎ合わせること）の説なるべし。

山上に古木の杉、一樹ありしが今は枯れてなし。昔、築きたる容《かたち》今も瞭然たり。山下の東北に向かって熊野社金峰山花館造山あり。

（熊野社花館のことは毛越寺《もうつうじ》鎮守社の条にいづ。造山は金鶏山を造るによる名なるべきか、この山の辺りは、全て新御堂を兼ね迦羅館に属する園地のごとし）。

また山下の北面に瓜破泉《うりわりしみず》というあり、その水寒冷にして清衡盛夏に瓜を浸しこれを破《わ》りて食するに用いしと言い伝う。

（この泉、今は農家の側竹林の下に湧き出る清水にして常用の井水となれり）

高館《たかだち》

また衣川館《ころもがわのたち》と号す、源義経の旧跡なり。里俗これを判官館《ほうがんだち》ともいえり。中尊寺の東にありて八丁（約八七二メートル）余りを隔つ、今その所在を高館といえり。この館跡は百年前の古城書を考うるに東西四六〇間（約八三六メートル）余り南北一二三〇間（約二二三六メートル）余り、高さ五〇間（約九一メートル）なり。当時、北上川 東山の麓を流れたりしも、今はこの館の下を流る。古昔の図をもってこれを見れば、百年以来のことにしてしばしば洪水のために崩壊し、今は狭隘《きょうあい》はなはだし、と相原氏の雑記にいえり。この記は安永年中（一七七二〜一七八一年）にして今より百十年前なり。

東鑑《あずまかがみ》 嘉楽館の条にいわく、往時、北上川 長部山《ながべやま》の麓を流れその河東に道路あり、長橋を架して往来し、後年 西畔に流れまた後に洪水瀰漫《びまん》（注・広がりはびこること）して館下の地を失うとあれば、河流の変ぜしは最も古きことにして、館跡崩壊して狭隘になれるは後世のことなりき。

その地形は山上平坦の所わずか一〇間（約一八メートル）より二〇間に至り、東南西北は八〇間（約一四五メートル）ばかり高低三段にして西北の高地に**義経堂**《ぎけいどう》。（今はこの堂のみ東面なり）

東南に**新山社**（古社跡に勧請《かんじょう》（注・神仏の霊を分け迎えて祭ること）せるなり。昔時、羽黒権現ともいえり）あり。高地は狭隘にして一〇間四方ばかりなり、堂頭は老木鬱茂《うつも》し堂後の山地 切断せり。裏面は崩岸絶壁数十丈、俯《ふ》して北上川の曲流を見、仰いで東山の群峰を見る。

昔時は東北に館門あり、士邸あり、市街に続きしなり。今はこの館山の過半を浸し殿宇の跡と認むべきなし。後世、崖下より殿材の埋木いづとこれ 余燼《よじん》（注・燃えかす）ならん。表面は社堂に詣ずる坂路 急ならず、下れば田を隔て官道なり。この辺り、昔時は捏渠《ねつきょ》なりしとぞ。山の半腹 西に向かいて馬場の跡あり、新山社の東南の麓を今、柳御所といえり。

（案ずるに、本文にいえる嘉楽館とあるはその地所、方位違えり。ただし北上川の柳御所跡に迫り流れて、その下地を失える上にて、また嘉楽館にも近く、その下地ともいうべきがごとし。相通じては諸館を包称し、平泉館と呼ぶも子細《しさい》なければ、かくいえるにもあるべし。

一説に義経、基成とともに柳御所におりしを秀衡、義経のために故《ことさ》らに営を構えられて、これを高館《たかだち》と号すといえり。義経亡びて後も基成はここにおり平泉没落の際といえども無事にして後に降参すと見ゆれば、固《もと》より義経の居所と基成の居所と別なりしこと明らけし。

さて柳御所の境内といえども一層高地なれば高館の名ありて、自《みずか》ら両地に分かれたるべし。また基成 柳御所におるといい、義経 高館に滅びて柳御所ともいえるは、その区別有るを共に混じていえるなるべし）

東鑑《あずまかがみ》をはじめ観蹟聞老志などにも、この館 阿部頼時 築くところにして、貞任これにおれり、とするものは衣川館ともいうによって、かの衣川柵のことに謬伝《びゅうでん》（注・誤って伝わること）せるなるべし。

弁慶宅地跡《べんけいたくちあと》

高館の北にありて今北上川の流れの辺なるべし、その居所跡を指し難し。

弁慶の墓跡は中尊寺表坂の下にあり、今は桜川茶亭の庭内なり。その松樹を弁慶松という。樹下に碑あり俳詠を勒《ろく》（注・刻むこと）す。

色かへぬ松のあるじや武蔵坊　　素　鳥

素鳥は坊中法泉院より出《い》づ

また南畔に斜対し薄墨桜というあり。弁慶の手植えといえど今は原木枯れて継ぎ木なり。

付言、衣川中の瀬と称し、弁慶最期（俗に弁慶立往生といえり）の所と伝えたるは、今、北上川変じて、これに衣川の落ち合いたるその辺りなるべしとぞ。

束稲山《たばしね》

（一名、駒形嶺と号す。諸書にこれを多和志根山と出せり。山勢の撓《たわ》みたる容体よりいえる名なるべしとぞ。歌枕秋寝覚には、たはしねと書き、真名も多波志根と副《そ》えて西行の歌を載す。今の歌人これに従えり。この字義を東仙として書き始めしはいつごろにや、いずれか古くいずれか正しからむ。いまだ考えず）

今の東山長部山なり。この山、平泉に対し東より北に蜿曲連亙《えんきょくれんこう》して佗山に接し秀峰清景 描くがごとし。中について袴腰《はかま》という。峰高く抜きんで舞草山 前面に蟠踞《ばんきょ》し、烏兎ケ森《うとがもり》の山勢 突兀《とっこつ》として東方に並べり。樵《きこり》道、羊腸を攀《よ》じ渓壑《けいかく》（注・深い谷）幽邃《ゆうすい》（注・景色などが物静かで奥深いこと）にして山家 林間に隠顕せり。昔時、阿部頼時この山に桜樹を一万株植うといえり。

（東鑑《あずまかがみ》に海陸三十里（約一一八メートル）の間を兼ね桜樹を並べ植う云々《うんぬん》と有り）

桜花 峰続き爛漫《らんまん》として河水に影を投ぜし由《よし》 語り伝えて その多かりしことは、西行の歌にても知られたれど、すでにその木 枯れ絶えて、今はただ昔の春を想像するも、山色水光平泉地方第一の美景なり。

（磐井郡の内北上川東を東山といい東磐井とす、東山の名は続日本紀延暦八年（約七八九年）の条に見えたれば最も古し。舞草山は山勢 金華山《きんかさん》に彷彿《ほうふつ》たり。白山岳と号し吉祥山東城寺という寺ありて馬頭観音を安ず。大同年中（八〇六

～八一〇年）田村麻呂将軍の勧請《かんじょう》という。これもと、式内《しきない》舞草《もくさ》神社の称あるをもって、維新後 改革ありて神社に帰し、今は村社となれり。山の中腹に太夫ケ岩と称する大石あり、鉄落山というはこの山の西南にあり。往古 鍛冶刀剣を造りし跡にて、源将軍 討伐の時 都の刀工を召し下してこれに住せしめ、その子孫 秀衡《ひでひら》の代まで相続し、舞草および平泉にいるという。平泉の阿弥陀堂の燭台を造りし舞草森房という名刀工なり）

ちなみにいう、東山は最古名なりといえども都俗に鄙俗《ひぞく》（注・田舎の習わし）も習うは自然の勢いにして、平泉の盛時に何事も相競いて都風に擬せしことその遺跡に徴して知るべく、当時 東山も地勢の似たるをもって洛東に準ずる意にて専様せしことと思わる。その所部《しょぶ》（注・官庁の管轄するところ）に大原という村名もあり、またヤツセといいて八瀬に似たる地名もあるなり。

山家集
みちの国ひらいづみにむかひてたはしねと申す山の侍《はべ》り、こと木はすくなきようにさくらのかぎりみえて花の咲きたるをみてよめる
ききもせずたはしね山のさくら花よしののほかにかかるべしとは　西行法師
案ずるにこの歌、夫木集には……みちのくのたはしね山の桜花よしののほかにかかるしら雲……と出《い》づ。

北上川《きたかみがわ》
（古くは来神川とも書けり）
岩手郡厨川柵《くりやがわのさく》（注・木材で作った砦）より直北二十里（約七八・五キロメートル）余り奥なる

地に北上川通宝寺という観音堂あり里俗 御堂観音と号す。堂のそばに弓弭《ゆはず》の池とて方一丈なるがこれより清水 湧きいで渾々《こんこん》として流るるはすなわちその水源なり。

（昔時、頼義将軍 士卒の渇を医せんと、弓弭にて岩を穿《うが》たれ、この温泉湧きいでたりと言い伝えり）

北上川、今は平泉高館《たかだち》の下を流るる大河なり。東鑑《あずまかがみ》の説を挙げ高館の条下にいえるごとく、昔時は長部山《ながべやま》（東稲山《たばしねやま》なり）の麓を流れ今の長部沼という所その古水脈なり。当初、桜川の称ありしこと下文に述ぶ。

（この川の水脈 岩手、志和、稗貫《ひえぬき》、和賀、伊沢、江刺、岩井、登米、本吉、遠田、桃生の諸郡を過ぎ分脈し、その一脈は牡鹿郡石巻港に一脈は本吉郡追波海に入る。水源よりおおよそ五十里（約一九六キロメートル）に及ぶ。）

桜川《さくらがわ》

高館《たかだち》、中尊寺の間にあり。

広さ三間ばかりその源、西山にいで東流して北上川に入る。北上川は昔時、束稲山《たばしねやま》の麓を流れてかの名高き山桜の影　相映し、また紛葩飄零《ふんぱひょうれい》（注・花が咲き乱れ風に吹かれて落ちること）して水面に浮かぶがゆえに　桜川の名あり。水路　漸転して高館の西畔に及び、旧地に残れる　その名をも移して　桜川と称せしか。

この小川の名のごとくなれるなるべしとぞ、これに架せる橋、すなわち官道にして　そこに茶屋両三軒あり。屋後の眺望、最佳絶なり。東北　東稲山をはじめ江刺の衆巒《しゅうらん》（注・多くの山々）、岩手の遠岳に連亙《れんこう》し、高低　重畳として雲外の翠嶺《すいれい》（注・緑色の峰）に眼界を極む。西は岡山を隔て、伊沢の駒ケ岳峨々《がが》（注・山が高くけわしくそびえているさま）として常に雪峰を仰げり。北上川一帯、水源滔々《とうとう》として南流し、また東流し去りて峡中に入る。遠帆の好風近棹《とう》（注・水底をついて舟を進めるさお）の佳景さながら描くがごとし。衣川の下流北上川に入り、一橋その中流に斜にして、青松郊路を挟み、旅客逍遥《しょうよう》として頭を回らせり。あぁ、ここに藤豪源雄の形勢異なりし昔時も想い遣られて、その俤《おもかげ》眼前に浮かべり。

衣川柵旧跡《ころもがわのさく》

下衣川村にあり。今の中尊寺村の衣川橋より五、六町（約五四五〜六五四メートル）ばかり川上にして琵琶柵と川を隔て相対せり。安部頼時、同貞任が居館なり。桜の古木あり。柵内の外に植え並べたる樹木の残れるなりという。里俗これを間断桜と言い伝えたり。また柵跡を並木屋敷といえり。

（貞任が曾祖父 六郎これを領せしより八十余年これに住居すといえり）

東鑑《あずまかがみ》に、文治五年（一一八九年）九月二十七日、頼朝卿、安部頼時が衣川の遺跡を歴覧《れきらん》あり。郭土《かくど》（注・外囲いの土）空しく残りて秋草鎖《とざ》すこと数十町（約一・一キロメートル）礎石いずこにかある。旧苔《きゅうたい》（注・年月を経たこけ）埋むること百余年と記せり、この柵のことと見えたり、平泉の衣川館すなわち判官館とするは謬伝《びゅうでん》なり。

琵琶柵旧跡

中尊寺村の西戸河内村にあり。安部貞任が兄 成道（一説にその後といえり）が居館なり。この館を泉ケ城と称して泉三郎忠衡これにおれりと言い伝えたり。諸書にこれを評して東鑑の説に拠《よ》れば疑いなきことあたわずといえり。

（案ずるに忠衡この館におれりとせば、その没落は文治五年六月にして頼朝卿の衣川柵の歴覧は同年の九月なればこれに準ぜしなるべし。忠衡義経に昵近《じっきん》（注・親しみ近づくこと）せしを思うにそこ高館《たかだち》隔絶の地にもあらざればこれに準ぜしなるべし、忠衡おれりとするも由なきにあらず。初め平泉館の辺におり後これに移れるにや、忠衡宅地跡の条下の泉屋というに照し考うべし）

衣関

東鑑《あずまかがみ》に「西白河の関に至り。東外浜を限り、各十余日の行程にして関門を立て、衣関と名づく」とあり。

（一説に胆沢《いさわ》郡白鳥村鵜木という所に関の跡あり。その傍らに岡山明神あり。今これを関門宅というと、案ずるにその地勢 中尊寺の西部は険隘《けんあい》（注・道が険しく狭いこと）にして、古来 同寺の山号を関山と号し、寺塔建立の時に中間に関路を開き旅人往還の道となすと言い伝え、さて金色堂の西方に当たって関神社あり、中古、北野神社を配祀せしが今は観音堂となせり。この堂の北の麓に関の跡あればここなりしこと論なし。

平泉の古事には、衣川の東北の山下に古関とて柵門番所を描けり。相原氏の雑記に、今、古図とて見るも後世の製図と見え、全く信ずるに足らざる由いえり。ただし後人の製図といえども地方の古伝説になれるものなるべければ、用いて取捨せざるべからず。

そもそも最初の衣関もしくはこの古関なりけんも知るべからず。古道は今の道と別にして玉造郡より栗原を経て磐井郡に入りては黒沢村赤荻村〔この二村いにしえの萩荘、荻荘にしてその境の磐井川に橋を架《か》し荻萩橋といいしとぞ〕、平泉村より中尊寺に架《かか》り衣川に出しといえり。これ当時の官道なり。

また一方は平泉時代の山の目村あり、平泉館の東北を過ぎてかの古関に通ぜし古道といえるあり。これまた官道に次ぐ道なりしなるべし。

頼義朝臣、日吉白山を月見坂において遥拝せられしということあり。その月見坂は、中尊寺の東畔の坂上なれど、広く指しては衣関と続けていえるなるべし）

後撰集雑一

詠人知らず

たたちともたのまざらなん身に近き衣のせきもありといふなり

詞花集別

和泉式部

道貞忘れて侍《はべ》りける後みちの国の守にて下りけるにつかはしける

諸ともにたたましものをみちのくの衣の関をよそに見るかな

続後撰集冬

建保六年歌合冬関月　順徳院御製

影さゆるよはの衣の関守はねられぬままの月を見るらん

夫木集春

嘉元百首歌奉りし時『旅』　前中納言定家

さくら色に四方《よも》の山風そめてけり衣の関の春の曙《あけぼの》

安部氏《あべし》

安部頼時は初名《はじめな》を頼良といえり、先祖安東の（安日の末孫にして津軽卒土浜安東浦に住す安部比羅夫に従い征戦に功あるを賞してその姓を与えらる）名を襲い、安東太郎と称せり。祖父忠頼は俘囚《ふしゅう》（注）の酋長となり、父忠良は陸奥大掾《たいじょう》（注・律令制における国司の位階の一つ）となれり。頼良八男三女あり、嫡男日井は盲目なり（一説に長男早世すとあり）、二男厨川《くりやがわ》次郎貞任《さだとう》、三男鳥海《とのみ》三郎宗任《むねとう》、四男境講師官照（義経記境冠者龍相一書に友照とも良照ともあり、友およぴ官の草字体良に似たるをもって誤れるにや）、五男黒沢尻《くろさわじり》五郎正任、六男比浦六郎重任、七男比与鳥七郎則任、八男白鳥八郎行任、女子三人あり。（女子一人は亘理《わたり》経清が妻、一人は清原武則が後妻、一人は伊具十郎永衡が妻なり）

【編者注】俘囚…陸奥・出羽に住む蝦夷のうち、朝廷の支配に属するようになった者を指す。

父子先業を藉《か》り俘囚を馭《ぎょ》し勢力ますます強大なり。ついに六郡を略し朝憲を蔑如して貢賦を収納せずといえども、国守これを制することあたわず。七十代後冷泉天皇御宇 永承六年（一〇五一年）、陸奥守藤原登任出羽国秋田城介平重成とともに頼良らを討って敗続し登任は上洛し、重成は帰国せり。さらにまた朝議あり、源頼義朝臣を陸奥守兼鎮守府将軍に任じて頼良らを討たせらる。頼良その威名を恐れてすなわち国司の名を憚《はばか》り先名を頼時に改めて順伏せり。天喜二年（一〇五四年）に至り貞任狼藉《ろうぜき》のことあり、頼義朝臣これを罰せんとせらるるを頼時 憤懣《ふんまん》し、衣川柵によって反逆を企てければ、頼義これを征伐せらる。時に頼時が婿亘理権太夫経清、伊具十郎永衡、官軍に属し数戦を経て永衡誅《ちゅう》せられ経清また頼時に帰れり。同五年頼時流矢にあたり鳥海柵《とのみ》（岩井郡東山郷鳥海村にあり、案ずるに旧館にして宗任これにおりしか）に還りて死す。貞任残党を集めて川崎の柵による（あるいは河堰城ともいう）。

官軍これを攻むといえどもすでに初冬に際し風雪に会い、兵糧尽きて大敗し、国府に退く。貞任いよいよ逆威を振い官物を掠奪す。康平五年（一〇六二年）、頼義朝臣国司の任了《おわ》り高橋経重任につくといえども、賊勢に屈しかつ現地人頼義朝臣の恩威に懐くがゆえに経重なすことなくして帰洛せり。清原真人、武則大兵を挙げ羽州を発し、栗原郡営が岡に頼義朝臣に会して敗軍を回復し小松柵を攻む、貞任の陣敗れて岩井川まで退き、なお追撃せられて衣川の柵に逃れしが、ここにもまた敗を取り鳥海柵にも留め得ずして厨川の柵に籠りぬ。嶮《けん》を擁し昼夜苦戦すといえどもついに敗れ経清は虜となりて斬られ、貞任もついに友軍の手に斃《たお》る。その長男千世童《ちよどう》十三歳にして柵を出て勇戦せしも捕えられて斬らる。二男高星は乳母抱いて津軽藤崎に隠れぬ（後ついにその地を領せり）。宗任は虜となる（後免ぜられて義家朝臣に仕う）。そのあまりの族党あるいは、斬られあるいは降を許さる。

清原氏《きよはらし》

出羽国の住人清原真人武則は元仙北の俘囚長《ふしゅう》にして、貞任征討の功により貞任が所領を賜り奥六郡の押領使とせられ、鎮守府将軍に任じ、従五位下に叙せられたり。

七子あり嫡男 荒川太郎武貞、二男 斑目二郎武忠、三男 貝沢三郎武道、四男 権太郎清衡、五男 将軍三郎武衡、六男 将軍四郎家衡なり。武貞の次は女子にして吉彦秀武に嫁《か》す。清衡は家衡とは異父同母の兄弟なり。武貞、父 武則が遺迹《いせき》を継ぎ、その子 真衡、威勢 父祖に超え、奥羽両国の一族 皆その臣列におる。

武則の甥かつ婿なる秀武は真衡に讐怨《しゅうえん》(注・うらみごと)のことありて矛盾し清衡家衡を依頼す。真衡これを聞いて秀武を襲撃せんと出羽に発向せしが、清衡、家衡は武衡に結び、その留守を襲うを聞き、また子の成衡病に罹《かか》るをもって真衡途中より軍を返しければ清衡ら一戦にも及ばず引き退けり。源頼義朝臣の嫡子義家朝臣、永保三年（一〇八三年）陸奥守鎮守府将軍に任ぜらる。真衡 重ねて出羽に発向するに際し、清衡、家衡再び真衡が留守を襲えり。真衡の妻この難を受け義家朝臣の家人にして所部を検察する兵藤太正経、伴次郎助兼に保助を請いければ両人すなわちこれを諾しその要害を固む。清衡、家衡これを攻めて勝たず。

ここに正経助兼の説諭を清衡は肯《うべな》いて退き、家衡は肯わざりしも戦負けて退散せり。助兼国府に詣でこれを具状しければ義家朝臣使節を出羽に遣り真衡および秀武を召されぬ。両人すなわち軍を止めその命を奉じ和睦をなすに至り、なお清衡、武衡、家衡を召されしに清衡、武衡はその命に遵《したが》いしかど、家衡は遵わずして出羽に赴き沼柵に籠れり。義家朝臣出羽に出陣しこれを征せらるといえども勝利なし。

寛治元年（一〇八七年）、義家朝臣任終わるといえども国民の望みによりて再任あり、武衡また変心して家衡の元にゆき共に仙北金沢の柵により守備をなす。これに義家朝臣、秀武、清衡をはじめ国中の兵を挙げ国府を発して征伐せられ、しばしば会戦ありといえども兵糧乏しくして引帰らる。

同四年、武衡金沢を発して国府に迫らんとせしも敗北して帰国せり。かくて義家朝臣には所労により出陣叶わず。弟新羅三郎義光ならびに嫡子河内判官、義忠軍を率いて金沢を攻む。真衡去る寛治元年に病死し、その子成衡友軍の陣にあり武衡を謀らんとして城中に入りこと発覚して戦死す。官軍、数々《しばしば》攻戦したまたま陣中失火の騒擾《そうじょう》（注・騒ぎ乱れること）によってまた国府に引き帰る。同五年、義家朝臣大軍を率いて金沢を攻める。武衡、家衡、城中兵糧尽きて降を請うも許されず、城に放火して落ち行くを追捕して殺さる。

同六年、義家朝臣帰洛し奥州の目代に清衡を置かる、真衡死亡し成衡も戦死しければ、清衡こそついに奥州を管領する身となりぬ。

○

一行十五人、ただちに中尊寺行きの自動車に分乗、月見坂口に至る。

ここよりは徒歩なり。栗はぜ、山がらすの声 間近う聞えて杉木立ひそやかなり。小西郷に腰おさえられつつ月見坂を登り行くこと三町ほど東物見あり、芭蕉翁の

「陸奥に杖を引きて、国破れて山河あり城春にして草青みたりと笠打ちし

きては時の移るまで涙を落としはべりぬ」

などあるは、ここら辺りならんと感慨一しほ深し。

見渡せば向かつ束稲《たばしね》の山東より北にわたり陸中の連山、秋陽《ひ》ほがらかなり。衣川の細流れ、木立にかくれて見えず。道この辺りよりやや平らにして一行は弁慶堂、薬師堂、鐘楼の前をうちすぎて直ちに金色堂に向かいぬ。土産に求めたらん誰やらが木魚の音 森深う谺《こだま》し、見上ぐる老杉にからむ蔦《つた》 やや紅葉して秋床し。古き石畳 堂宇の間を縫える森のかなたより、黄の衣つけし中僧、来たりてまず案内せり。

金色堂は、世俗 光堂と称し、鎮守白山社の南にあり、天仁二年（一一〇九年）清衡 建立す。この堂、三間四面。中の間 七尺二寸（約二・二メートル）、両脇の間五尺五寸（約一・七メートル）、柱高さ一丈九寸（約三・三メートル）内外、上下四面 悉《ことごと》く簾布《れんぷ》（注・布で作ったすだれ）を掛け黒漆して、その地を重厚にし金箔を鞣《なめ》し耀《かがや》かす。内部は

中尊寺金色堂　仏像

岩手県平泉　中尊寺金色堂

鐫柱《せんちゅう》（注・柱に彫り付けること）彫梁 悉く螺鈿《らでん》珠玉を飾り、中壇の四隅には七宝荘厳丹青《たんせい》の柱を立て、柱ごとに十二光仏を図し、その壇上に阿弥陀、観音、勢至、多門、持国、二天、六地蔵、おのおの法橋定朝作、すべて十一躯を安置せり。左右の壇上もまた同じ。三壇中に藤原氏三代の棺を納む。遺骸おのおの厳然として存在すという。

経蔵は金色堂に隣りて西北にあり、天仁元年（一一〇八年）清衡《きよひら》建立す。元二階の堂なりしが建武四年（一三三七年）の災いに上層焼失し、その残るところ修理を加えたり。三間四面、六尺六寸（約二メートル）間にして柱の高さ礎石より一丈二尺（約三・六メートル）なり。堂中八架を設け三代寄付するところの一切経を収む。その箱広さ七寸（約二一センチ）、長さ一尺五分（約四〇センチ）、高さ三寸三分（約一二・五センチ）、黒漆にして蓋《ふた》に螺鈿《らでん》をもって経巻の題目をちりばめ、部帙《ちつ》（注・巻物を入れる袋）を見《あら》わせり。清衡の納めしは紺紙金銀泥《きんぎんでい》（注・金粉や銀粉をにかわでといたもの）

にして一行文字なり。これ堀河、鳥羽両天皇の勅願として寺堂を建立し納むるところの経巻なり。その一切経は自在房蓮光、奉行となりて八カ年間書き写せり。基衡の納めしは紺地金泥にして、秀衡の納めしは黄紙宋版なり。

時迫り来れば絵画堂、宝物堂、弁天堂を急がしく観覧し、下坂《しもさか》駅前及川屋にて早々に昼食をとり、平泉午後三時五分発に乗り込む。

山《やま》の目《め》の駅ゆ畑中貞蔵氏いとまを告げて家路に帰りぬ

木の花の姫を祭れる蘭梅《らんばい》の山の森見ゆ山の目の駅

間もなく一《いち》の関《せき》の駅に至れば仙台より第二分所長佐沢広臣、阿部新五郎氏、甲府よりはるばる熊谷、渡瀬の両氏出迎えおれり。

有壁《ありかべ》の駅花泉《はないずみ》すぎゆきて岩手室根《むろね》の山を遠みつ

中江川《なかえがわ》岩手宮城を境して間もなく石越《いしこし》駅につきけり

石越の迫《はさま》の川をわたりゆけば黄金の稲田やや広けし

伊豆沼《いずぬま》を右手《めて》に眺めて新田《にった》駅はざまに長沼《ながぬま》みつつ走りぬ

ほがらかな空、はろけき黄金の稲田その透明な上空を秋の日を受けて幾万幾億の蜻蛉《とんぼ》飛び交いつつ銀糸の尾をひくさまを愛《め》でつつゆけば、汽車は田尻《たじり》に着く。ここにもあまたの出迎えありて平野林兵衛、千葉勝太郎、菅原好三、佐藤愛善、中条住男、中条祀治、鈴木祥雄の諸氏同車せり。

秋の日はようやく傾きて木だちのかげ長く地に這《は》う。江合川《えあいがわ》を渡りて小牛田《こごた》に入る。東京より大崎正吉氏をはじめ岡村、半沢、佐沢、板橋、谷口、中条、木名瀬、大崎、菊池氏ら出迎えおりて、菊池氏をのぞくのほかはこれまた同車してゆく。

車中、駅ごとに入り来たる宣使らの応接いとまなく、談 多岐にわたりて窓外の風光ながむる間もなきに、田の面には早 暮色迫り、四方の山々黒ずみて駅頭あかるし。鹿島台《かしまだい》にてまたあまたの宣信徒の出迎えを受けつつ木村惣太郎氏とともに仙台まで送らる。松島《まつしま》、利府《りふ》、岩切《いわきり》の駅を過ぎゆけば四辺全く暮れて空のかなた、灯にうすあかるきは仙台の街なるべし。

六時ようやく仙台の町に入る。汽車静かに駅に滑り入れば、宣信らホームを埋めてわれを迎えいたり。この日の記事を記せる新聞に、駅頭には手に手に教旗を持った信者が県下から集まって約二千 黒山となって云々《うんぬん》の記事ありし。駅長室にて少憩、駅頭の群集をようやくわけ行けば佐藤まさき氏の弟子ら美《うるわ》しき花束を贈らる。四十台の自動車に各自分乗、アスファルトの大路をはせて定禅寺通櫓丁《じょうぜんじとおりやぐら》の千代《せんだい》分所に入りぬ。かねてよりわれを待ちし諸種の調度家屋の手入れなど、夜目にも心地よく調えられおりき。憩う間もなく東華新聞社長小野平八郎氏来談、九時過ぎに至る。肩の凝り歯痛こよいは一しほはげしく、白河の神守氏の療治を受け寝に就けど安からず、あまつさへ頭痛腹痛加わりて天、霊その他の地より書信あまたあれど開き見るさえいたみ加わる心地す。

今夕、駅頭に出迎えられし宣伝使は晴山理吉、勝又六郎、中島義延、木村小三郎、中山直市、野口如月、野口治三郎、飯田千代松、飯島鎌作、高橋守、板谷善七、根本佐市、佐藤円治、小室荘作、菅野佐武朗、大崎良治、近藤正一、大泉多七、及川健治、鈴木金六、菅原喜七、佐々木千之助、佐々木藤三郎、杉田清吉、遠藤元吉、八木吉次、高橋きく、中条玄策、戸村重助、吉田喜右衛門、遠藤正伊、大泉平吉、平卓三、佐藤まさき、志賀兵作、勝又かのへ、遠田米太郎、半沢和作、八巻利三、同市三郎、芳野慎蔵、関英雄、村上万寿、同守雄、砂野いと、針生幸、同貞代、紺野銀治、柏徳兵衛、佐藤直文、大崎昌吾、半沢久吉、橋田九一氏ら以下省略す。

○

仲秋の澄む月かげををろがみて旅ますきみを偲《しの》びけるかな　荘月

明光の御殿《みとの》に映ゆる月光は称への言の葉なきまでに澄む　同

今宵《こよい》もし岐美《きみ》ましまさば明光の御殿も如何《いか》に楽しかるらむ　同

柿や栗団子に饅頭《まんじゅう》供へつつ明光殿に月を拝《おろ》がむ　同

明光の御殿に清く照る月はよそに見られぬ眺めなりけり　荘月
望《もち》の夜の月の光のさやけきは岐美が心のかがみなるらむ　閑楽
明光の名に負ふ誌《ふみ》のいさをしは常夜の闇も照り渡すらむ　同
天恩郷澄み切る空に引きかへて望の月暗き稗貫《ひえぬき》支部かな　同
稗貫《ひえぬき》の支部にて空をながめつつ月無き宵にむし栗を食へり　同
岩手野に仲秋の月かくれけり　同

○

お嬢さん育ちの娘とは大部分富家の女で、繁雑な世相を知らず、辛酸を嘗《な》めたこともなく、何のための人生なるかを知らず、いわば温室に育てられた草花である。時の変遷推移と正比例な女であって、機を見るの能力もなく、活動する技量もない。毒にも薬にもならぬ至って平々凡々で趣味もかえって低級である。そのくせ芝居見物、遊芸、音楽、他所出、買物などが好きであって、気分だけは大変ハイカラで何々会会員になりたがる気分は十分に持っている。また新聞や雑誌なんかで褒めて欲しい気分はデモ政治屋成金物語と同一である。年を取ってもアマエルこと非常なもので気随気儘《まま》で始末のつかぬものである。早婚する女だけに一度それが遅れた時は良からぬ噂《うわさ》に上り、幸福なような不幸なような、いわゆる人間として無意味な女である。今回の旅行によって自分はこの感を深くして、かつ娘の親として大いに考えさせられたのである。

次に世間体の張りたい女がある。官吏（注・国家公務員）や公吏（注・地方公務員）の娘に多い、いわゆる認識の欲望が至極発達したさまで、空威張りをしたがる。そして無性やたらに令嬢ぶりたがる。しきりに高潔ぶって節操などの議論ときたら、いわゆる理想を楯に振り回し強烈に進議する。常に張り気なだけ一度その度を失うものなら、たちまち神経衰弱に陥ってしまう。かかる種類の女は理想と現実とが常に衝突しがちであるからである。貧弱な家庭の女としては大いに適するかも知れぬ。家計の切り盛りの比較的巧妙な点を経験から得ているので、妻君としてはかえって好成績を上ぐるものである。養成一つで随分役にも立ち働きも出来る。そして気概に富んでいるのである。

○

「オイケン(注)がどういった。マルクスがこう言った」のと個々の人々の抱いた思想について深くこれを究めることは専門家の仕事であって、全ての人間が専門家同様の研究を重ねんとするのは無理である。普通のわれわれらは各学者の学説を通観しただけで常識的の頭を作らねばならぬ。

少なくとも一瞥《べつ》しただけでその取捨選択を誤らないだけの常識を持っておらねばならぬ。政治の経過においても政治的歴史から見ても大抵わかることで、西洋諸国には古来幾回かの人種の大移動を繰り返してきた。前の人種を後の人種が全滅する。優等人種が出てこれに代わり、全滅戦に次ぐに全滅戦をもって今日にいたったので、残虐の継続が今日を築き上げたものと見られる。そして西洋思想は実にここから生まれている。地上の草木を知ろうとするならまずもってその土地を十分に調べてみなくてはならぬ。

しかるに日本人にして日本を知らないものがある。日本に生まれ日本に育ちながら日本の歴史、日本人の習慣性などについては全くこれを知ろうとさえ努めるもののなき現代である。日本人の言葉といえば浅薄なもの、西洋人の言うことなれば必ずそれが真理であるように早のみ込みするようになってしまっては始末に困る次第である。

日本の刀剣についてさえドイツに聞かなければ分からぬなどは沙汰の限りである。

特に今日の青い連中の読物は全て西洋の物、語るところもまた西洋のもので日本は昨日まで未開野蛮国であったのだ、西洋のお陰で文明国になったのだと思っている。しかもこれらの連中は自他共に知識階級と称して怪しまない。こんなことでは日本の神国も前途ははなはだ寒心の至りである。まずこの迷信を打破することに努め、日本人には日本固有の真の文明を知悉《ちしつ》せしむることが刻下の急務である。われわれ大本人が現代人から迷妄とののしられ山カンと嘲笑されながらも、人類社会のため国家国民のために昼夜不断の活動を続けているのも国家の前途を憂うるのあまりに他ならないのである。

【編者集】オイケン…文脈よりドイツの経済学者ヴァルター・オイケンか。であれば新自由主義のドイツ版とみなされている社会的市場経済を提唱した先駆者。

○

「親作に対する子作」であるのにこれを小作と書くなどは、明治初年ころの学者の不用意で西洋かぶれがうかがわれて、はなはだ面白くない感じを与える。物件的賃貸借だ、親でもない子でもないと解釈するからついに小作争議のようなものが流行するのだ。日本の親作子作は西洋のように物件的賃貸借で始まったものでないのだが、ちょっとした簡単な文字の相違がやがて大いなる観念の相違となってくるものである。どうかして日本農本国は親子の関係にいつまでも円満にありたいものである。

○

現代日本人ことに知識階級として自他共に認め認められている人間は十中の八、九までも西洋心酔者で、日本は未開国だ、西洋には真の文明がある、故に日本の教えは全て駄目だ、日本人は低脳だと考えている。これに反してわれわれ大本人は、日本は真の文明国であり、世界の宗主国である、世界を教導し世界人類に真の文明を教うべき神国だと確信している。ゆえにわが大本は一切万事西洋崇拝の日本の現状に反し、わが国体の尊厳と千古不磨の大真理あることを、西洋各国の民に教うべく宣伝使を派して、彼ら未開の偽文明国人に対して、真理を説き福音を宣べ霊肉共に天国に救うべく、真の文明を鼓吹しているのだ。今日の日本人のいずれの階級を問わず、政治に宗教に芸術に経済に、日本人として外人に教えているものは一人もないではないか。これを見てもわが大本の世界唯一無二の真理教であることが証明されるであろう。

○

自分は自分のために生まれ、自分自身のために存在するのだ、報恩謝徳などとはもっての他だと威張ったことを言うものが多くなってきたようだが、これらは実に幼稚な思想であって、少しく考えてみれば直ぐに分かることである。

吾人の今日ここに存在し得るのは神様と祖先のたまものである。また日本の存在するのも日本の祖先の神々のたまものである。日本の神道は全て祖先崇拝の教えであるが、これをいかなる知識階級でも曲げることのできぬ真理を含んでいる。

謝恩の念があって初めて犠牲心が起こり没我心が起こるのだ。動物でさえも恩を知るではないか、西洋の社会学者でさえ犠牲と没我心この二つがなければ社会は進化しないと言っている。

自分を犠牲にすること、自己を没却すること、この二つのものは神道の教義の教うるところであって、親が子を愛し、子が親に孝を尽くすのは人間自然惟神の慣性であり常道である。

○

淑子原ふくれましたと聖地より某新夫人報じ来たれり

山川の越え行く旅のわが許《もと》に三月腹だと玉章《たまずさ》が来る

○

明澄の大霊鏡の東空にかかればなべて澄める宵かな　閑月

名月の真澄の空に高照れば大天地の明く澄みぬも　同

岐美《きみ》はまだ勿来《なこそ》の関か白河の那須すべなみて月を恋ふかな　同

大空の月の鏡を見るよしもなく過ごしたり岩手の仲秋　閑楽

名月も八重黒雲に包まれて歯を痛めつつ塞《ふさ》ぐ宵かな　同

吾《われ》は今仙台萩の露の家に宿りて聖地の月を慕ひつ　同

○

名月に向かひしわれら御旅の岐美がみあたり偲《しの》びまつるも　吟月

この月よこのあま雲の彼方《かなた》にぞ岐美ますと聞く静心なし　同

今は早静心なし思ぼせきみ静心なしかもかくもなし　同

名月の曇りし岩手の大空に淋《さび》しさ優《まさ》る松虫の声　閑楽

陸奥《みちのく》は月見えずとも君が坐《ま》す御苑の月はさやかなるらむ　同

仲秋の陸奥の月楽しみし甲斐《かい》なき吾ぞ静心なし　同

○

岩手山晴れしと宣《の》らす御言葉は何にたとへんわが力なる　文楽

つつじ咲けど月は冴ゆれど岐美まさず何かさびしく月光を見し　同

岩手不二晴れては曇る仲秋の空の景色に世の状《さま》を知る　閑楽

天恩の郷に躑躅《つつじ》の咲くときく仲秋の日の珍しきかな　同

○

月に一度の逢瀬《おうせ》の客が帰りや満員博覧会　曽呂利

曽呂利曽呂利と兎のあとで亀が行きます月都　同

曽呂利曽呂利とぬがせる古着鬼も笑はす巻開き　同

アハハオホホと笑ふて暮らす家になつたも主のかげ　同

昔ほこたて在所の乙女博覧した人いま仙台　同

曽呂利曽呂利と聖地の空に近くなるのが嬉し旅　閑楽

○

救世《ぐせい》の御手慈愛の御足蝦夷《えぞ》千島樺太《からふと》島に及ぶかしこさ　河津雄

醜草《しこぐさ》の中に交らふ秋草の花一つ見ぬ島はさびしも　同

高砂の島に渡りて救世の教開く真人《まびと》ぞ雄々しかりけり　閑楽

四季並べて一度に開く樺太の百花千花楽しかりけり　同

○

日の本や普天はきくのかをる国　其山

ありがたし十勝の土地でわが孫にお逢《あ》ひ下され嬉《うれ》し涙す　同

北海の果てにも菊の薫りけり　閑楽

宗匠の愛孫に逢ひし北の国ゆ遠く偲《しの》びぬ花明山《かめやま》の空　同

○

いにしえを聞くや物皆秋の影（中尊寺）　香鹿

七宝の柱や露の十二仏（同）　　鳴　球

◇十月一日　東華新聞記事

出口王仁三郎聖師

いよいよ今夕　来仙

信者寄進の国魂石で

霊感による月宮殿の建立

大本教主出口王仁三郎師一行はいよいよ本一日午後六時十分着で岩手県より来仙、直ちに定禅寺《じょうぜんじ》通り櫓丁《やぐら》の大本瑞祥会千代《せんだい》分所に入り一般人にも会見せられ、二日午後十時半より随行の宣伝使岩田、吉原両氏を講師として市公会堂において大々的に宣伝講演会を開催することになっている（なお今回竣成の京都府下亀岡の大本天恩郷の月宮殿は日本内地各県および朝鮮、台湾などの各所より寄進された国魂石を集め霊感による設計で一切石造りになるものである）。

◇十月一日　仙台日々新聞記事

大本教主 出口氏 来仙

日本、中国、朝鮮、欧州、米国の各国に存在する二百有余万の信徒より救世の大聖師と仰がるる出口王仁三郎氏一行は北海道巡教の帰途、十月一日午後六時二十分仙台駅着列車にて寄仙、二日午後七時半より市公会堂において宣伝大講演会を開くと。

△**講演会**　二日午後七時半より随行の本部員を聘《へい》（注・招くこと）し西公園公会堂において宣伝大講演会を開くはず。

◇十月一日　河北新報記事

出口氏 本日 来仙

明日 講演会開催

大本教主出口王仁三郎氏は本夏、京都を出発してより北陸、北海道、樺太《からふと》を巡教し、本日午後六時十分仙台駅着にて来仙、明日午後七時半より市公会堂において宣伝大講演会を開催するが、出口氏は心に悩みある者、病の床に臥《ふ》す者を癒し、科学文明の今日において驚異の的となっている現象に対し〔神は万物普遍の霊にして人は天地経綸《けいりん》の主宰者なり、神人合一してここに無限の権力を発揮するものなり〕といっている。

◇九月五日　大泊《おおとまり》毎日記事

人間ならぬ人間
怪物＝王仁三郎と語る
財産はざっと二千万円ある
死線を越えた彼の過去

北満の独立運動に二百万金を投じ、群れなすヤマ師らもギャフンと参らせ、これまたご本人も見事に一敗地に塗《まみ》れ、天晴《あっぱれ》一無の名物男となった怪物？出口王仁三郎こと大本の生神様は昨二日午後二時、美人の書記二名を左右にはんべらし、サテハ四天王八天王一童子らなどなどお忍び旅行とあって総勢十数名を引き具し、大泊駅頭に天降った……紫しおぜ（注・羽二重風の厚手の織物）の着流し姿にご機嫌いとも麗しく、お寺ならぬ北海屋におさまり込んだ。記者は綾部の屋台がぐらついて以来、ソットして八年消息を絶った王仁さんの珍談を聴かんと単身教陣に跳び込んだ。以下は人間ならぬ人間王仁さんと二時間にわたる娑婆物語である…………これが芝居であれば、「これサ王仁サン久しい――のう……」からすごい文句を並べるところだが、くやしいことには神様と人間との違い。おそるおそるのゴキゲン奉伺《うかがいまつる》から始めねばならぬまだるっこサ。

×

私は今晩の連絡で帰る。樺太《からふと》には野田《のだ》、豊原《とよはら》その他二カ所に支部を設けた。大本教が正式に復活していないので思想善導の名で東北、北海道、樺太に来たのだが、今後は大本教の復活に努力してその後は国事に尽くす覚悟じゃ。このごろのように世の中が腐れてきてはどうしても私が極めねばなりません。

×

例の問題（綾部騒動）の時に三千万円から財産を没収されたが、皆さんが心配なさるほど貧乏でない。これでも支部の金を集めても二千万円くらいは大丈夫ある。

×

私がじっとしていても一カ月に一万円かかるから貧乏では仕事は出来ないというもの。

下獄すること九度、死線を越ゆること六度、私の過去は波瀾に富んでいる。私を殺しに来たものはみんな私の四天王になっている…………生神様のご入浴とあって話は中途でとぎられ、神様の再現を有難く待つこととなった。

◇九月六日　大泊毎日記事

夢のような野心

入浴禁止の金札を切って特別にしたてた風呂に浮世の汚れを清めた王仁さん、だんだら織りの丹前に、ゴマシホまじりの長髪をナイトキャップに包んで、ふところ手よろしく再び現れた姿は「正しく」何びとが見ても

「海賊の張本」、気の利いたキネマ会社の支配人がいたら早速七、八百両は投げ出して買いに来ることだろう――考えて見れば王仁さんも不運な男、相手が新聞記者では一文にもならない…………

×

天上天下唯我独尊を極めこみ、その名を海外に轟《とどろ》かした?…生神のこと、浮世の汚れを風呂で洗えば、すっかり神様になるかと思えば、一人二役を演ずる王仁さんに、記者の全神経は微妙に尖《とが》る。

×

「ヤアお待たせしました」こいつなかなか味をやるわい、海賊の張本と見たがヒガメであったか、こうやって膝つきあって見れば全く好々爺《こうこうや》、「大本教復活の見込みはありますか」と聞くと王仁さんの顔面神経は電波のごとく左右に光る…………

なんでも聞いて見ると、先に没収された巨万の富の分配案も秘かにたてられ、昨年来より表より裏より猛烈に大本教復活の運動が始められたというものだ。記者の想像では復活をも許した時の政府与党に、あるいは没収された巨万の富を献上するのではあるまいかとも思われる。閑話休題王仁さんの口吻《こうふん》はなかなかもって自信がある。

×　　　×　　　×

まず第一に前警保局長山岡万之助、前内務大臣鈴木喜三郎のご両人にはすでに了解があり、今日もって黒幕の人となって活動されているというから、あるいは問題の邪教?の復活は根もないことでもあるまい…………

「大本教が復活すれば私は養子に後をつがせ、一意国事に尽くすのが私の目的です………北満の独立の再起です、しっかりした在郷軍人を二百万人ないし五百万人に鍬を一ちょうかつがせて満州に乗り込み直ちに武装して、更に飛行機数台をそなえて仕事にかかることです………」

◇九月七日大泊毎日記事

神様もお茶にする

王仁さんの計画を夢のような野心だとは一概には申されません。彼が北満に手を出すのは第二の綾部騒動を未然に防ぐ底意であるからだ。いわゆる大本教の復活されない今日そうとは語られず、生神様の大野心をすなわち小乗の極致を大乗の巧みさで大胆にも記者にほのめかしたものとも思われる。

×

油ぎった顔面に小粒の汗を出しながら神様ご昇天とあって吹くは吹くは……

×

「現在の宗教のいずれもが職業的となって、いずれ一つとして信ずるに足るものがない。そこへ行くと大本教は真実信ずる人たちが集まってくるから、一朝ことある時は他の宗教に見られない真実さを見ることが出来る……」

×

幾分 手前みその観ないでもないが鼻息はすこぶるあらい。第一金が唸《うな》るほどあるというのが随行の小僧に至るまで鼻の先にぶら下っているのでたまらない。記念撮影をと切り出すと生神様ことの他ご満足の体で、「よろしい………」と快諾一声もの共続けとその一党を表庭に引き出してドッカと安楽椅子にそり返った。

×

失礼ながらどっから見ても酒呑童子、ことに花も恥じらう美人が並ぶあたり……風があたるから早く撮れと写真屋をねめつける当たり一人前の俗人ぶりだ。でも「着物を着替えようか……」とものどもをふり返る当たり可愛いところがある。

×

記念撮影から記念揮毫と矢継ぎ早に注文を出すと、ものどもの狼狽《ろうばい》言わん方なきほどで、生神様丼一杯の墨汁で書くわ書くわ二十余枚。

×

「天下統一秋」「我志吾」とか胸に抱ける野望を無言のうちに語り出す。信者が来ても絶対に書かない、支部にも一枚しか書かないという因縁付きのお筆先は記録を破って簡単に書きなぐられた。

×

別荘は各所にあるんだそうな……一カ月の小遣い一万円だそうな……聖師様こと王仁さんをおがまんとする篤志家は、前の控訴院検事正平松福三郎さんが「るすばん」をしている東京麹町山元町一ノ三大本愛信会に乗り込むことだ。

×

金がふんだんにあるんだから新聞雑誌の広告は勿論のこと、さし当たり社会院の寄付くらいは、ちょっと五万円は大丈夫、寄付するらしい。

×

大本教が復活すれば養子をもらうと言うから「娘さんがありますか」とお伺いを立てると、神様とうとう憤慨して別室に姿をかくした………

（完）

十月二日　於　千代《せんだい》分所

朝はほがらかである。紺青《こんじょう》に澄んだ秋の空、露にぬれた丈高いコスモスの茂み。その下に幾分鈍重の感深い女を配すると何かしら仙台の秋をシンボルするような感じがする。

今朝は早くから飛行機がやってきて円天井《まるてんじょう》のかなたからキラララキラララビラをまいている。寝つつ見る庭のカンナはもうさかりを過ぎようとしている。昨夜から夜を徹して蒟蒻《こんにゃく》で罨法《あんぽう》(注)してるが歯痛はまだ止《や》まず、ほがらかな空も庭の白菊、黄菊の笑みも病む身にはひたすら故郷をしのばしむる。塩釜の信者松坂宣使に肩をまかしつつ、身体をうごかす度にやってくる疼痛《とうつう》をブドウ液にごま化しながら、床上に起きつ寝つして朝はゆく。十時過ぎ福島民報社仙台通信部の照井盛治氏のやむなき来訪に面会す。すなわち請うままに半紙に染筆して贈りぬ。

【編者注】罨法…幹部に温熱または寒冷の刺激を与えて、炎症や充血、疼痛を緩和し、病状の好転をはかる治療法。

照り渡る雲井の空も地の上も盛んなりけり君治《し》らす世は

昨日より満月少年来りてわれを待ち迎えたりと近侍子より聞きしが、昼近くなれどまだ顔を見せず、いかがせしならんと案じおればやがて来る。百日余りにて相見るに顔は色黒くやけたれど、日夜、小西郷の偉大なる体躯を見なれたる目にはいたくやせたるよう思われて故郷にてすぎし日のことなど何やかやと聞き見ぬ。

仙台市　千代分所ご神前の出口聖師と宣信徒

仙台市　公会堂における講演会
（檀上は吉原亨宣伝使）

同上
（檀上は岩田久太郎宣伝使）

十月の二日ゆ玉の家《たまや》宗匠をわが一行に加えぬるかな

浦和分所より安否うかがいの電信ならびに京都の粟辻忠造氏より左の電歌あり。

道のため八十日をかけて垂れ玉ふ瑞のみたまの尊かりけり　粟辻

東京の大崎宣使ふるさとに今日帰らんといとま告げゆく

夜に入りてなお歯痛やまず、肩少しくゆるみたりと思うも、たまたま談ずるさえ再びこりゝ増し来れば大方は伏しつつすぎぬ。

正午過ぎ信徒《まめひと》たちに面会し秋晴れのもと小照を撮る

夕ぐれて神氏《じん》再び歯の療治なしてくれたり苦しきままに

粟辻氏に答ふ

八十日余《やそかま》り旅を重ねて君が坐《ま》す花の都の空したひつつ

写真して秋の灯おぼろ千余人（仙台公会堂）　香鹿

亡き人を数へて去りぬ秋の人（旧友疲牛来訪）　鳴球

◇十月二日 「大仙台」記事

王仁師の講演

今日公会堂にて

大本教主出口王仁三郎師はかねて北陸、北海道、樺太と各地の巡教中であったが、昨一日午後六時岩手県より来仙し、信者連の歓迎の裡《うち》に市内定禅寺《じょうぜんじ》通り櫓《やぐら》丁の大本瑞祥会千代《せんだい》分所に入り、信者はじめ一般の面会に応じたが、本日午後七時半より市公会堂にて伝道大講演会を開催するが、師は特に志望者には、心の悩みを去りまた難病をも神の力によって治すとのことである。なお「大本の由来」吉原亨氏「人生の真意義」岩田久太郎氏で聴講無料であると。

◇十月二日　福島民報記事

大本教講演

出口王仁三郎来仙

大本教主出口王仁三郎氏は予定のごとく昨夕六時十分仙台駅着列車で来仙。多数の信徒の出迎えを受け、ただちに定禅寺通櫓町大本瑞祥会千代分《せんだい》所に入り一泊、本二日は午後七時半から市公会堂にて宣伝大講演会を開催すると。

◇十月二日　報知新聞（宮城版）記事

会と人

大本教主出口王仁三郎は一日夕六時十分着の列車で来仙、多数信徒の出迎えを受け市内定禅寺通りヤグラ町の大本瑞祥会千代御所に一泊、二日は市公会堂で講演会を開く予定。

◇十月二日　仙台日々新聞記事

大本講演会

今夜公会堂において

出口大本教主は昨夜来仙、在仙同教信者の出迎えを受け、定禅寺《じょうぜんじ》櫓《やぐら》丁の大本瑞祥会千代分《せんだい》所に入った、同教主一行の来仙を機とし、二日午後七時半より西公園公会堂において大本講演会を開き、左記両大本特派員出演する由。▲大本の由来（吉原亨）▲人生の真意義（岩田久太郎）

◇十月二日　河北新報記事

大本大講演会

既報のごとく大本教主出口王仁三郎師の来仙を好機として十月二日午後七時半より市公会堂において、同特派員岩田久太郎氏は「人生の真意義」、吉原亨氏は「大本の由来」の演題の下に大日本国体の真髄ならびに神の大道を自然的に了解の緒を開くと。

◇十月二日　宮城毎日新聞記事

出口王仁三郎師動静

市内小田原に抱え地を設く

既報のごとく大本教出口王仁三郎師は一日午後六時十分着の列車にて岩手県より来仙せられたが、当地は初めてのこととて着仙の際、信者一同は手に手に大本特定の十曜の神旗を持って歓迎をなした。師は本夏七月十一日京都府下亀岡天恩郷を出てここに八十余日を経て北陸より北海道、樺太《からふと》、青森、岩手を経て本県に入り、滞在十余日の予定にて一日は千代分所、二日は第二分所、三日は過般竣成せる小田原高松通りなる出口氏の抱え地に杖を止め、その後は県下十八カ所の支部を一巡の上、山形、福島に向かう由。

◇十月二日　東華新聞記事

昨夜 歓迎裡《り》に入仙…王仁三郎聖師

本夜 公会堂で講演会…滞仙四日で大教化

大本教の出口王仁三郎聖師は昨日午後六時半来仙した。仙台駅頭には手に手に教旗を持った信者が県下から集まって、約二千黒山となって煙花を打ち上げ歌を和して恭しく出迎えたのであった。随行の吉原、岩田諸氏もまた聖師とともに定禅寺通櫓丁の千代《せんだい》分所に入りここに一泊したことであったが、分所では数日前より聖師を迎えるために万端の用意を整ひ、紅白の天幕を張り回し教旗を立て提灯をつるすなど、まるでご祭礼のようなにぎわいを呈していた……本日は千代分所で聖師訓話や色々の儀式があるはずであるが、本日午後七時半からは西公園公会堂において大本講演会を盛大に挙行する、聴講は誰でも自由に出来るが出演者は左の通りだ。△大本の由来　特派員　吉原亨　△人生の真意義　特派員　岩田久太郎　本夜は市内元寺小路佐沢方の大本仙台第二分所に聖師一行は宿泊するが、明三日は北山の第三分所に宿泊して仙台市内を三日間に渡りくまなく教化されることとなっている。

◇十月二日　「よねざわ」記事

出口王仁三郎氏

今月中旬来米
講演会を開く

大本教開祖出口王仁三郎氏は去る七月十二日綾部出発東北、北海道、樺太《からふと》巡教中であるが、本月中旬宮城県より本県に入り村山地方を巡教して米沢市に来る予定で、米沢市において講演会を開くべく目下信徒は準備中である。

仙台市　千代分所における出口聖師

仙台市　千代分所における出口聖師と宣信徒

十月三日　　於　仙台第二分所

朝来の曇天。かねてより仙台にては旅のつかれを憩わんものとおもいしためか二夜を重ねても歯痛、肩のこりいまだ止まず、あまつさえ腹具合も悪しければ絶えず懐炉を入れてあたためおり、立ち居などするに頭少しくふらふらする心地なり。かくてははてねど正午ころまで床上にすごしおれば、佐沢、板橋、鈴木の宣使らわれを迎えのため来る。されば夕近きころ第二分所におもむくべき約束をおもいて、白き小袖に着がえなどして信徒とともに神前に神言を奏上す。終われば富樫浩氏、奥田友子嬢らの琴、尺八の合奏ありてわが旅のつれづれを慰められたるはうれしきことの一つにこそ。しばらく信徒らと談笑しつつその間は痛み少しく忘れおれど、終われば一しほ苦しきにはほとほと困じ果てたり。天、霊両地にいたらんにはいかがならんなど思いてひそかにほほえみても見つ。

ようやく時迫り四時自動車にて五、六町（約五四五〜六五四メートル）の間を元寺小路の第二分所に向かいぬ。車上もしばしば葡萄液を含みつつ近づけば、門前垣をなしてわれを迎う。新しく増築されし見はらし広く心地よき居間に入りて少憩、千代《せんだい》分所より送られし宣信徒に面会をなして床上に伏す。今夕もまた松坂氏にマッサージを頼む。朝食をとりたるのみなれば腹少しすきし心地して、二日がほどほとんどとろろのみ続くなれど、うまく食べ終わりぬ。こよいはひさびさにて満月少年の物語読むを面白くききつつ頬《ほほ》に膏薬《こうやく》などはりてうつらうつら寝につきぬ。ふとどこよりか笑い声起こり来りて目さむれば、信徒ら神前にて漫画、冠句作などに興じおるなりと近侍子の答うるをききて再び夢路にたどりぬ。

歯はいたみ肩はこりつつわがからだくるしき息にみ空曇りぬ
今日はしも第二分所にわれゆかん日なりと思ひつ朝を伏し居《お》り
正午すぎ白き小袖にきがへしてまめひとともに神言を宣《の》る
午後四時に自動車並べて一行は第二分所にむかひけるかな

山際《やまぎわ》にある鳥居をくぐって坂路をうねりながら登りつめた所が政宗造営の仙台城の跡で、今、天守台または御本丸とも称する。この地は仙台七崎の一である青葉ケ崎で、この一帯の山を青葉山という。

仙台城は長久保赤水が東奥紀行に

巍然青葉山巌壁如削成、右則瑞鳳愛宕両足之諸山、為三軍南郭、左則亀岡大崎之山、為二重北郭、谷深水流一夫守隘万夫難当、実金城鉄郭、海内無双也、可謂天府矣。

【編者注】巍然《ぎぜん》…高くそばだつさま。隘《あい》…両側から狭められた場所。／海内…四海のうち。天下。

仙台城

藩城百拠崔嵬、本是仙家十二台。况又山河期砺帯、海東何別回蓬莱。

【編者注】崔嵬《さいかい》…岩がごつごつした険しい山。／砺《れい》帯…砺はきめあらい砥石であり、ごつごつとして変化にとんだ地形が取り巻いている形容か。

といひ、松崎慊堂が

「緑樹陰森棲楪皆蔵其中、余正門外一瓦不見」

と記したのがその実景であった。

この牙城の建物は明治四、五年のころことごとく取り壊され、今はただ石垣が遺っているばかりだけれども、その結構は壮麗を極めたものであった。中にも本殿と称するのには破風《はふ》に九尺余りの菊桐《きくきり》の紋を付け、内は十五室から成る。それに上々段（帝座の間《ま》）、上段（鳳凰《ほうおう》の間）、公卿《くげ》の間、孔雀《くじゃく》の間、桧《ひのき》の間、虎の間、鹿の間、紅葉の間、柳の間、松の間、鶴の間、鷹の間などの名あり、全て三百畳を敷き得る。

室は格《ごう》天井金張り付き極彩色画の壁障子、菊桐紋の金具で輪奐《りんかん》（注・建築物の壮大美麗なさま）の美を尽くした。しかして藩祖政宗を始めとして歴代の君侯もここに出入りすることできず、ただ襲封して初めて入国した時、束帯して公卿の間において帝座の間を拝する式がある。政宗の皇室に対する志を想うべきである。当時の建物の遺物たる大手門は第二師団司令部の正門としてその燦爛《さんらん》たる菊桐紋の金具によっていにしえの盛観をしのばしめる。

城址には金鵄《きんし》を頂いたゴシック式高さ六十六尺（約二〇メートル）の昭忠標（注）が明治三十五年に建てられ、ついで招魂祭殿、戦利品陳列の威揚館設けられ、道路も新たに開かれて一般の登攀《とうはん》を許している。直下に広瀬の清流を隔てて仙台全市を一望の裡《うら》に収め、宮城野の広野からはるかに東瀛《とうえい》（注・東の大海）の波を望み、左右に遠近の丘峰を指すことができるばかりでなく、春は観桜によろしく、秋は特にその南の龍《たつ》の口沢《くちざわ》をかけて紅葉の絶景を現ずる。本丸への通路は峻坂曲折して諸士の来往に不便が多かったので、寛永十五年（一六三八年）二世忠宗はその北に二の丸を造営して十六年六月竣工移転し、以来君侯の居所であった。明治元年（一八六八年）城池を官に没収されて、二年勤政庁となり、四年以来東北鎮台仙台鎮台となり、十五年九月全焼して前記の大手門と巽門《たつみ》とが存するのみである。今の第二師団司令部の庁舎は明治十七年十二月建てられた。

【編者注】昭忠標…佐賀の乱（一八七四年）以来、西南戦争や日清戦争などに従軍した陸軍第二師団所属戦没者を慰霊するための顕彰碑。

二の丸の城の後ろ、市の西界に羽州街道の跡あり。路傍の碑に「右志者為四十余人講衆面々各所志聖霊往生極楽菩薩乃至《ないし》法界衆生平等利益正安四年（一三〇二年）十一月十四日敬白」と刻まれ、それに並んで弘安蒙古碑と称する梵《ぼん》字の碑が立つ。

大手門を出て右の五色沼は冬のスケートに適し、左に折れた路辺の古松は仙台城造築の時移された龍川院の墓印だと言い伝えられ、龍川の松という名がある。またここはもと大下馬札（注・乗馬のままでの通行を禁ずる立札）の建っていた所なので大下馬の松ともいい、ここにあった番所を松の木番所と称えた。ただし最初の松は枯れて享保年中（一七一六〜一七三六年）植えついだのである。二の丸の東方および北方、広瀬川に至る地の大部分はもと武臣の邸宅だったが、今はことごとく兵営になっている。すなわち工兵第二大隊、仙台連隊区司令部、兵器部、兵器庫、騎兵第二連隊、野砲兵第二連隊、輜重兵《しちょうへい》（注・軍需品の運搬監視をする兵士）第二大隊などである。

宮城県名所旧跡あらましを書き止めてけり記念の為《ため》にと

管絃の合ふとき神気爽やかに（千代《せんだい》分所合奏）　香　鹿

霧の中に暮れ行く森の都哉《かな》（第二分所露台）　鳴　球

◇十月三日　東華新聞記事

トルコ帽の信者黒山

素晴しい姿の人間味

大本王仁三郎聖師の談片
十牢《とろう》に終わった新蒙古国《モンゴル》

大本教のご本尊様たる出口王仁三郎聖師が来仙した。千代分所の信者たちは熱狂的に喜び迎えている。去る一日夜七時……お疲れのところ恐縮ですがと刺を通ずる。

◇

分所は紅白の幔幕《まんまく》で取りかこまれ、賄所《まかない》や受付が新設されトルコ帽に黒紋付きの老若男女が真に身動きも出来ないほどギッシリと詰めかけている………特別にお会い申し上げますとの取り次ぎの口上にあまえてこの人山をかき分けて座に進む。一の部屋の人山に驚いた記者が二の部屋にゆくと一層にその威儀をただして正座する長老連に驚かされた。長髯《ぜん》(注・ほほひげ)白髪の六十がらみのじいさん二十余人が右左二列にズラリと頭をさげて奉仕しているからだ。三の部屋………そこは王仁三郎聖師の着座の室である。大本正装の珍しい姿の大官が居流れて叩頭《こうとう》（注・頭を低くしておじぎをする）している所に村松山寿、佐沢広臣の両代表がこれまた控えていた。正面の祭壇が山海の珍味に飾りあふれていた。

◇

やアご苦労ご苦労と京都弁のバスが頭の上に響き通りチト頭を上げて見ると、王仁三郎聖師が机の前に大胡坐《あぐら》をかいてドッカと座ったところである。神様というより人間味のゆたかな親しみの多い態度で、まず人を引き付ける。頭の髪はぐるぐると丸めて額の上に山をこしらえネットをスッポリかぶっている。薄紫の袴に黄色の紋付き羽織をつけ、松竹に鶴や亀を色糸で織り出した素晴しいスタイルである。五十幾歳かの元気を艶々《つやつや》と油ぎってアクセントのはなはだしく耳につく京都弁で淳々と説きながら手まね上手に対者の心を引掴《ひっつか》んでゆく。

◇

イヤ遅いのにご苦労でしたな……綾部をたってからもう八十日間ばかりになりますので、わしの体も寸暇なく今夜は疲れております故、失礼してゆっくりと無礼講でゆきましょう。京都から越後、山形、秋田、青森、北海道、それから北海を渡って樺太に入り、再び青森に引き返して岩手からただ今仙台に着いたばかりですよ。車中船中ではおそくまで旅中日記や和歌の添削、ところに入っては、宣伝ということを毎日繰り返しているのだからよそから見たように楽ではありませんぞ。

◇

そうそう新聞記者さんだからこんな話より面白い話をしましょうなア……樺太でも北海道でも山火事の中を自動車で突進して旅を致してきま

したよ。泥炭が一間も一丈も地上に積んであるのだからいったん山火事になると冬消えても春から夏になるとまた自然に燃え出すので消えそうだって消えません。火の中の伝道旅行は良いでしょう、日本は人口過剰で土地がないないと言ってるが、北海道には一千万、樺太には六、七万人は今からでもはいりますよ、国内植民をまず始める必要がありますな。

◇

日本に人が多くて国が狭くなったというのでわしも満蒙へ出かけたことがございましたよ、張作霖の代表だという触れ込みで内蒙古に行ったのです。第二奉直戦《ほうちょく》（注）の時でしたよ、わしの乾児《かんじ》（注・子分）で弟子である馬賊の大将を先導に立ててその乾児らの兵隊総勢十二万を率い、わしがその総統帥《とうすい》（注・軍隊を統率指揮すること）格で蒙古入りをやったのです。実はあそこに一大帝国を早く樹立したい希望でした、ところが呉佩孚《ごはいふ》軍と張作霖軍と赤露軍との三方面の攻撃を受けてわしは捕えられて入牢致しましたぜ、みんな中国人は撃ち殺されましたが、わしは日本人だというので救われたのです。

【編者注】奉直戦…一九二二年（第一次）と一九二四年（第二次）に中国において勃発した奉直戦争。奉天派軍閥（張《ちょう》作霖《さくりん》）と直隷《ちゅくれい》派軍閥（呉佩孚《ごはいふ》）との間で北京政権の覇を争って戦われた。

◇

それでも機関銃でみんなと一緒にバタバタやられたのですがな、ちょうど私の番になると機関銃の方で破裂してくれたので殺し兼ねたらしいのですよ……でもその日がちょうどわしの五十六歳の六月二十四日、ちょうど祖父も父もその年齢のその日に死んでるのでわしも死ぬものと決心していたので、命拾いした後も約二カ月間くらいというものは死んでるのか生きてるのか判然と分からなかった……イヤ捕えられた時にはそっちの牢、こっちの牢と十度も牢屋を替えられたが、これがわしのモンゴル国樹立の途疲《とひ》十牢《とろう》という訳だよ、アハハハハ。

◇十月三日　福島日報記事

出口氏講演盛大

大本教主 出口王仁三郎師一行は、予定のごとく一日午後六時十分仙台駅着列車で来仙したが、駅頭には星旗をもって多数信徒の出迎えを受け自動車にて定禅寺《じょうぜんじ》通り櫓《やぐら》丁の大本瑞祥会千代《せんだい》分所に入ったが、二日は午後七時半より随行の宣伝使岩田、吉原両氏を講師として市公会堂において大々的宣伝講演会を開催したが、聴衆約三千人で本部特派員の吉原氏の大本の由来、同岩田氏の人生の真意義と題する講演は現代思想界に何物かを意識せしめ、何事か警告を与え、多大なる感動裡《り》に同午後十一時半無事終了したが、本日は元寺小路大本教瑞祥会仙台第二分所に泊り多数信徒と会見される。

◇十月三日　岩手毎日新聞夕刊記事

仙台公会堂で

大本教講演

二日午後七時

大本教主出口王仁三郎氏は岩手県下の巡教を終え、一日午後六時十分仙台駅着、来仙。定禅寺通《じょうぜんじとおり》千代分所に入ったが、二日午後七時半より仙台市公会堂において大本大講演会を開催したが、大本教旨として……神は万物普遍の霊にして人は天地経綸《けいりん》の主宰者なり、神人合一して茲《ここ》に無限の権力を発揮す……と言っているが講師および演題は左のごとくで聴衆に多大の感動を与えたと。

△大本教由来　本部特派員　吉原亨　△人生の真意義　同　岩田久太郎

十月四日　　　於　宮城分所

昨夜はこのごろになく熟睡せり。朝の日は明るう座敷に入りてこのまなれば歯痛もよほどやわらぎたるよう思わる。されど身体を動かせばただちに痛み至れば、近侍子の進むるままメンソレータムを用いしに、ややしばらくして少しく楽になりたるよう覚えぬ。身体安からんにはこの白き襖《ふすま》に筆とらんなど思いつつ、清められたる庭の面すがしく眺め入る。

昼近き頃より歯痛やはらぎて庭の面《も》すがしく眺めけるかな

○

数百年の昔は青葉山から東の方、海岸に至るまで三里（約一一・八メートル）が間は宮城野につづく荒涼たる原野で国分荘と呼ばれ三十三村からなっていた。

伝説によると、この地には古来城があって、文治五年（一一八九年）源頼朝が藤原泰衡を征伐に来た時、千葉介常胤《ちばのすけつねたね》の五男五郎胤道が忠節を抽《ぬき》んでた恩賞としてこの地を賜り国分氏と称する。

十五世能登守盛氏に至って嗣子《しし》（注・親の後を継ぐ子）がないので、天正五年（一五七七年）伊達晴宗の五男（政宗の叔父）彦九郎盛重がその養子になり、宮城野五十三郷を領して松森、千代《せんだい》、小泉などの城にいる。

しかるに慶長元年（一五九六年）盛重は伊達政宗と不和になり、小泉城に立て籠って戦ったけれども、ついに敗れ城を棄てて没落し常陸《ひたち》の佐竹義宣に身を寄せた。政宗は天正十九年以来玉造郡岩出山城にいたが、慶長五年青葉山に築城を企て、十二月二十四日縄張りを始める。

この地は古来その辺に千体仏があったので千体城といったのを中ごろ千代と改められたが、政宗がこの時さらに仙台と改めこれを城の名にもした。城をまた青葉城ともいった。

○

午前、県視学(注)中鉢歌月氏および五、六の信徒らに面会をなし、痛み軽きに興じて談ずれば痛みしのび来れど昨日のごとくならず。今日一日を安く憩わばよほどよからんなど思う。

先ほどより光《みつ》、厳《いず》の少年らどこへゆきたらんと思いおりしに、やがて入り来るを見れば厳雄少年の頭すこぶる妙《たえ》なり。三カ月ほどのばせし頭髪のあまりにいが栗になりたれば、すなわち床屋に入りて油ぬりてもらいしなりと。往来の人、目ひき袖《そで》ひきすれちがう中を、求め来りしなりとて、黒きナイトキャップをとり出しかぶる。三月がほど前までは、さほどおかしからざりしに、今はその小さきに腹かかえ誰やらんが、どこからどこまでまんまるく毬《まり》のようなりなど高笑う。頭重しとてキャップをとりつはずしつ、暇あれば鏡に向かうさま、いとおかし。

甲府の熊谷直咲氏帰り行きぬ。午後よりは一般の面会をさけて、ひたすら安静につとむ。二階は見はらし広しというに上り見れば、青葉山、向い山は市の西より南にゆるやかにのびて、その麓、広瀬の清流蜿蜒《えんえん》（注・うねうねと長く続くさま）三里（約一一・八キロメートル）東の海に注ぐ。もしそれ晴天ならばはるかに宮城野より荒浜にいたる茫々たる黄金の仙台平野をのぞみ得べし。市街は樹木繁りて大方の民家は見えず、ただ諸官衙《かんが》の高荘なる建築のみその尖端をあらわせり。森の都と呼ばるる実《げ》にもとうなずかれぬ。ささやけき屋上庭園を歩み見れば、鉢植えの菊蕾《つぼみ》まだ固く石楠木《しゃくなげ》のあまた蕾つけたるも珍し。

入浴四、五日ぶりにて髯《ひげ》そり何となく面軽くすがすがし、今日はしも今上《きんじょう》（注・今現在、在位されている天皇）には今秋の盛岡を中心とせる大演習ご統帥《とうすい》の途、仙台へお立ち寄りときけば、四時近きころより信徒ら大方はいで行きて分所内ひそけし。われもまた残れる人々とともにはるかに黙拝せり。今夕もまたとろろにて食を流しこみ、一日をこのごろにのう安らかに、夜に入りて、こよいもまた満月少年の物語にひき入れられつつ寝につきぬ。

【編者注】視学…戦前の教育行政において一般教師の指導監督のため設置された。戦後、地方には指導主事が置かれ、視学は廃される。

今日よりは第二分所を改めて宮城《みやぎ》分所と命名せしかな

午後の四時七分みかど仙台に入らせ給ふと信徒出《い》でゆく

秋半ば青葉城頭今日はしもすめらみことはいらせ玉ひぬ

○

大化会久保田義道は糞まきの罪あらはれてばば垂れにけり　（注・大化会）

浜口邸糞さわぎさせた大化会石井佐波三屁古《へこた》垂れにけり

右の外九人の糞野郎起訴猶予ばば垂れ腰であやまりけるかな

【編者注】大化会…国粋主義の右翼団体の一つ。

○

今、宮城野または宮城野原と呼ばれるのは、木の下の北に続いた十町に六町ほどの平地で練兵場になっている所だけども、上古は茫漠《ぼうばく》たる原野であったらしい。往時の国分原もこの原だろう。古今集に、

宮城野の本荒の小萩露をおもみ風をまつごと君をこそ待て

とある本荒の里もこの原のうちである。萩は中古以来　名高く、白河院のころ橘為仲　陸奥守《むつのかみ》の任果てて京に帰る時、この野の萩を掘り取って　十二合の長櫃《ながびつ》に入れ、入洛の時　花の盛りになるように計らって、持って行った。着京の日は、貴賤　白河辺りから二条大路まで車を断ち　ゆゆしい見物

で、帝《みかど》も行幸あったという。

宮城野の木の下つゆもまことに笠もとりあえぬほどなり。花のいろいろ錦をしけると見ゆ。中にも本荒の里という所に、色なども他にはことなる萩のありしを一枝おりて、

宮城野の萩の名にたつもとあらの里はいつよりあれはじめけむ

と思ひつづけ侍《はべ》りし。この所は昔は人住みけるを今はさながらのみ山になりて、草堂一宇より他は見えず、この花をも古《いにしえ》はちるをや人のをしみけんとあわれに思いやられ侍りき。

（観応年中（一三五〇～一三五二年）——宗久『都の苞《つと》』）

伊達氏の代にも萩の他、秋の七草や名も知らぬ花が無数に咲きみだれ、雲雀《ひばり》、鶉《うずら》がことに多くて巣を作っていた。藩では平日狩猟を禁じ、野守をおいて監守させたので活巣原《いけすはら》といわれた。鈴虫も鳴く音《ね》がことに勝れて俊頼《としより》（注・源俊頼。平安後期の歌人）の「さまざまに心ぞとまる宮城野の花のいろいろ虫の声々」と詠んだ状《さま》が遺っていた。

平原二里許、胡枝子稍著花、露滴如雨、金鐘虫頻鳴、経歴宮城野、蕭条行客稀、虫声秋草裡、白露欲沾衣。

（宝暦十年（一七六〇年）七月十一日——長久保赤水『東奥紀行』）

【編者注】胡枝子…萩の漢名。／金鐘虫…すずむし。／経歴…各地を巡り歩くこと。／蕭条…ものさびしいさま、しめやかなさま。／沾…水でぬらす。

けれども萩などはようやく掘り取られたと見えて、左にいずればさまざまに心ぞとまるちょう宮城野の原なり。あわの畑にくさぐさの菜もまじりおいていづこに萩のさいたるらん、ほのあかう見ゆる所をむかしの原のあとといふ。はぎたかくあげて露しげき畑のここらを行きめぐりかろうじて来て見れば、まそほの薄（注1）のほにいでたるなり、萩もむらむらまじりてさいたれど、きのうみたる百が一つにてもなし、されど世々のことのはのなごり、さすがあわれなれば薄村とばかりわけたれど、露にのみそぼち（注2）て、なかなかにきのうの花ずりもきえなんとす。

宮城野の本荒のに萩あれにけりふりしことばの花のみにして

（明和八年（一七七一年）八月十二日——細井平洲『おしまの苫屋《とまや》』）

【編者注】（注1）まそほの薄…穂が赤味をおびた美しいススキ。（注2）そぼち…ひどくぬれること。

とある、げに梅屋が「吟笻探勝入平蕪、野草野花路欲無、惆悵当年幽絶所、近来鋤地種蘿蔔」と吟じ、曰人が「宮城野を大根うゑてへらしけり」と歎じたように、いよいよ開墾されて旧時の光景をしのぶよしもなくなってしまった。

【編者注】吟笻《きょう》…詩を吟じ竹の杖をついて巡る意か。／探勝…名勝の地を訪ね歩くこと。／平蕪…雑草の生い茂った平野。／惆悵…恨み悲しむさま。／幽絶…人里を離れ奥深く、人気の絶えている意か。／鋤…すきぐわで田を耕す。／種…うえる。蘿蔔…大根。

○

これからは和歌も冠句もつくります雅号賜はれ瑞の師の岐美《きみ》　歌月

蟻《あり》の巣も川の堤を破るてふ宣使たる人心してとけ　同

世の根たる人の子今や地にあれぬとはに仕へん月の宮居に　同

女護が島南風うけて腹太り　歌月
南北の風が手を引く日本晴れ　同
化物が尻尾を出せど人知らず　同
似て居るぞやあ似て居るぞ似てゐるぞ　同
県視学中鉢大人《たいじん》に今日よりは歌月の雅号授けけるかな（注・大人）　閑楽
末の世に生れ出《い》でたる人の子の神を現はす時は来たれり　同

【編者注】大人…師、学者、父などに対する敬称。

○

慈恵院室内隈《くま》なく巡視して知り初めにけり院長の慈悲

仙台の空重くして歯の痛し

苦しさに仙台日記ことごとく如月宗匠に代筆させたり

奉迎の空秋雨を保ちけり（奉迎に列す）　香鹿

皇礼砲露台の菊に轟《とどろ》きぬ（宮城分所）　鳴球

◇十月四日　福島民報記事

王仁三郎氏と語る

氏が言う・神人合一とは？

記者との一問一答（一）

「神は万物普遍の霊にして人は天地経綸《けいりん》の主宰者也、神人合一して茲《ここ》に無限の権力を発揮す」とわずかなる言葉によって過去、未来、現在を解決するという大本教出口王仁三郎師一行は、一日当市へ乗り込み定禅寺《じょうぜんじ》櫓町《やぐら》の千代《せんだい》分所へ宿泊された。記者は二日午前九時同所に訪れる。

国旗を交差した正門から奇麗に掃き清められた玉砂利にすがすがしい初秋の曙光《しょっこう》が燦然《さんぜん》と輝いてキラキラと目もとに反射するを真面に受けて玄関に至れば、右手には紅白の幕を張り回して幕舎に受付所が設けられ、信徒の来往をいちいち記入している。所内には多数の信徒は紋服を着して星章マークの付けられた帽子をかぶっている、刺を通ずれば受付士、所内に入り数分にして出て来て「聖師様はまだご飯前であり入浴もなさらずにおられますから」とて体よく門前払いにならんとしたが、折角ここまで来て夜気に帰途するも本意でないので、随行の吉原宣伝使へと照会を求めたところ、ただちに諾され通された。

一間へと入る、そこは十畳間で正面に神殿を設けられ三方には供物をのせ灯明は赫々《かくかく》として燃えている。端然とした吉原氏と一問一答を試みる。

記「例の事件はどうなりましたか」
吉「あの事件は、とうに大審院にて無罪ということになりました」
記「大本の教えはいかなる教えですか」
吉「大本の教えは普通の宗教と異なり、神はいかなるものなるかを知り、神の偉大、高遠なる意志を覚り、真の信仰を得て絶対的にその神様に帰依《きえ》し、人生の使命、本分、意義と目的を覚り、それの遂行のために真実であるところの祈願と感謝を念ずるとき、初めて神様はその人の精霊に充たされて、すなわち神人一致してなお神の示さるるところは、人の行為となって無限の権能を発揮するものであるということをさとらしめて、行為そのものは全て善となって行われることを主眼としています」
記「もし間違って行なった行為が悪であった場合は……」
吉「大本には全ての行いが善であるから間違いということは絶対にない、

そこが神人合一の貴《とうと》いところであり、大本の生命であるのであります」

記「出口師のご日常は？」

吉「ほとんど旅日記と和歌を作られる、他信徒と四方山のお話されるのでありますが、早いときで夜一時、二時ごろまで、遅くて三時、四時ごろまで起きておられ、ご自分で書かれなければ、近侍のものに筆をとらせられて書かれていますが、このような日記ばかりも（当用日記の大形くらいのを示し）今年は六十三冊書き、今六十四冊目を書かれていますが、これはちょうど、かいこの糸を引くように次から次からと感じられたことを書いてゆきまして、ちょっとも考えられて筆を執るようなことがなく、夜でも昼でも列車の中でも、人と話をしている時でも、書かれるのであります」

といわれた。

記者は示さるるままに、その日記帳を取り上げて見れば、内容は麗筆をもって紀行文となく、和歌となく、少しのこだがまりも訂正したところがただの一字もなく、極めて豊かみある文章は一読にして襟《えり》を正さしめる。

（つづく）

◇十月五日　福島民報記事

王仁三郎氏と語る
氏が言う・神人合一とは？
記者との一問一答（二）

教理の一般を聞いた記者は出来得るなら王仁三郎師に会いたくなったので吉原氏に話せば、吉原氏は奥の間へ刺を通ず。ややありて吉原、岩田、村松の諸氏をともないて入ってきた、王仁三郎師は見るからに巨大な体躯

に頭髪はキッシリ結びあげて更に一段高くゆい上げ、鶴亀に松竹梅の模様入りの綿入れに星を散らした羽織をひっかけ悠々として

王「やアよく来てくなしった！」

と、身体に似合わぬやさしい声に微笑をたたえて、京都なまりのある言葉には些少《さしょう》のこだわりなく、さすがに人をひき付ける。記者はさきに吉原氏で大概質問も終えたので別に聞くこともなく

記「今度のご旅行は」

と尋ねると、

王「今度かいな、今度はこの教えの宣伝じゃでな！」

と言う、更に

記「今晩、貴殿が講演なさいますか」

王「いーや、わしがやるのでないのじゃ！、ここにおる（そばにいた吉原、岩田両宣伝使をかえりみ）両方がやられるのじゃ……わしはただおほもと

（核心のこと）だけを宣伝使に、はなしてやるだけで、まだ一回も講演なんかしたことはないのじゃ！」
記「さうすると今晩は公会堂で講演なさらないのですね」
王「そうじゃ……ハハアハ、みんながわしが講演するがごとく思い、新聞などでも、わしが出るように書いてあるがあれはうそじゃな！」
と、あくまでも落ち着いた態度である。記者は忙しい中にお邪魔するも迷惑ならんと感じ、最後に一首をお願いすれば、そばにあった筆と紙とを取っていとも無雑作にさらさらと
照り渡る雲井の上も地の上も盛んなりけり君治《しら》す世は
と書き上げて、拇印《ぼいん》を押して下さった。そばに侍《はべ》っていた村松山寿氏は注して、
村「その拇印は本教の最も貴しとしていて、病に罹《かか》った時その拇印を頂い

て患部をさすると病気は治癒するもので、実に有難いお印しものである」と言われた。
記者は「鰯《いわし》の頭も信心から」と言われている挿話を思い出しながら頂いてお別れする。
王仁三郎師、突然
王「今日はいい天気だなア！」
と叫べば、そばにいた吉原、岩田、村松氏、それと相和しもっとも自然的に
一同「誠によいお天気でございます！」
とかがやかしいお面で大空を見上げつつ何事か念じられていた。（おわり）

仙台市　宮城分所における出口聖師

仙台市　宮城分所前の出口聖師一行

十月五日　　於　仙郷別院

宣伝にたつ年の夏早去りて秋も半ばをすぎにけるかな
うす曇る朝の風のひえびえとわすらへし歯のいたみ出しぬ
床に伏しやみてしおればつぎつぎと宣信朝の挨拶《あいさつ》に来る
昼近き風はなづみて歯のいたみうすらぎゆけばおきいでて見し
鳴球氏東北日記十五号うつし終わりて送りやりたり
清庭におりたちひとりうつしゐをとりて神前《みまえ》に神言《の》を宣る
佐沢氏の経営なせる慈恵院入りて見しかな立つ間《ま》いそぎて

うす曇る秋のまひるに宣信等集ひてうつしゑとりにけるかな

小田原の瑞光殿に三時頃自動車並べてうつりけるかな

あかあかとダリヤの花は盛りなり天恩郷のみその偲《しの》ばゆ

五城館講演会と鳴球氏吉原宣使立出《い》でて行く

畑中にとりかこまれし瑞光殿人さりゆけば夜は静けき

小夜《さよ》更けて講演宣使帰り来ぬ聴講一同静粛なりしと

自動車に乗りしためかや今宵《こよい》また歯痛はげしくねむらえぬかな

人々の寝息ひそけく歯のいたみいやましながら夜は更けてゆく

小田原の瑞光殿を今日よりは仙郷別院と命名なしたり

仙台市　仙郷別院　門前

昭和天皇が行幸される直前の仙台市街
上の楕円内は陛下の滞在される大本営

愛宕山《あたごさん》より眺める杜《もり》の都《みやこ》　仙台
(右上の楕円内は仙台市中央　芭蕉《ばしょう》の辻《つじ》)

○

東北第一の都市と称せらるる仙台市は、宮城県陸前国の中部、東経一四〇度五二分一五秒、北緯三八度一五分三五秒（芭蕉の辻（注・仙台城下の町の中心であった十字路））に位し、東北各地への距離は福島市まで二一里三五丁（約八六・三キロメートル）余り、盛岡市まで四七里二六丁（約一八七・四キロメートル）余り、青森市まで九八里一二丁（約三八六・二キロメートル）余り、山形市まで一六里三二丁（約六六・三キロメートル）余り、秋田市まで六五里九丁（約二五六・三キロメートル）余りである。東京上野までは陸羽街道九二里二八丁（約三六四・四キロメートル）余り、陸前浜街道九七里一四丁（約三八二・五キロメートル）余りで、急行列車で八時間を要する。市の極東 榴ケ岡《つつじがおか》から極西 川内《かわうち》まで三二丁（約三・五キロメートル）、極南 河原町《かわらまち》から極北 堤町《つつみまち》まで一里二六丁（約六・八キロメートル）。面積一方里一分三厘（注・一方里は約一五・

四平方キロメートル）、周囲八里十四丁（約三一・八キロメートル）のうちに二百余りの市街が東西南北にほとんど井然《せいぜん》（注・区画が整っているさま）と割られ、それに約二万五千の戸数と十二万四千の人口がある。（令和元年十二月現在仙台市世帯数・約五二万一千戸／人口・約一〇九万一千人）

市の東は宮城郡原《はら》の町《まち》および七郷村《ななさとむら》の平野に境し、西は青葉山をもって七北田村《ななきたむら》 荒巻《あらまき》に接し、南は広瀬川《ひろせがわ》を越えて愛宕山《あたごやま》 越路《こえじ》の林巒《りんらん》をもって名取《なとり》郡長町《ながまち》 宮沢根岸に隣り、北は七北田村の丘陵に連なる。

太平洋の沿岸から続く平原が市の東南に入って海面上約十メートルから六十メートルまで隆まり、更に進んで北部および西部の巒峰《らんぽう》を起す。試みに市の西端の高丘旧青葉城址に立って展望せよ。北方は七北田、根白石《ねのしろいし》の丘陵の奥に泉ケ岳《いずみがたけ》の秀峰が淡く欹《そばだ》ち、その東に七峰が犬牙のごとく連なり、末は緩やかな傾斜をもって大洋に向かい、その極端に東奥の霊境金華山《きんかさん》が峰を現す。前は広漠たる原野で、村落の森の点在する他は一望視界を遮るものなく、銀色にきらめく太平洋の水平線が松原越しに長く見渡される。右に近く茂っている森は経ケ峰《きょうがみね》それにつづいて愛岩山、後に大年寺山《だいねんじやま》が相対峙《たいじ》する。この原野の極まる所、丘陵に囲まれた直下の市街は煤煙《ばいえん》を吐く煙突もまれに、樹木がうっそうとして全市を覆う。かくて仙台は森の都と呼ばれる。

一年間の平均気温は摂氏十一、二度、東京に比べて二度ほど低いが、極寒の時も零下十度に下がることはまれで、極暑の候でも三十一度（華氏九十度）を超えるのは数日しかない。しかも朝夕の涼しさは昼の苦しさを医して余りある。寒暑ともに凌《しの》ぎ易い地である。寒があけるとまず人の心が春めく、氷が解け始めて木の枝を折るような重い雨まじりの雪が降ってしまうと、いつしか山の麓、野の末に霞たなびき垣根の梅がふくらむ。三月になって強い西風が一しきり吹き荒れ、諸学校の卒業、入学のどよめきのころはもうすっかり春景色である。四月二十日すぎ、桜の盛りには梨や桃も競うように咲き出し、森の都は花の衣をまとう。いつしかそれも若葉に変わって、広瀬川に河鹿《かじか》鳴き、青葉山には杜鵑《ほととぎす》おちかえり名告ぐるころには庭の杜若《かきつばた》、山の榴《つつじ》も咲く。さすがに五月雨《さみだれ》はおとずれるけれども、河水の溢《あふ》れるほどでもない。栗の花赤く枯れて梅雨晴れの七月に入ると、急に暑さが増して蝉《せみ》の諸声にいとど汗をしぼり、夜店が、涼みがてらの人で通り切れないほど、にぎわう。立秋も名ばかりで子供らは蝉捕り、水泳に余念なく、海や山に都の暑さを避ける人も多い。九月に入ればようやく秋のけはいは感ぜられ、庭の面にいつとなく虫の声を聞く。朝霜の下りはじめる十月末は天候全く定まって、小春日和の幾日かがつづく。十一月末、山々の紅葉も一盛りで時雨《しぐれ》一度来れば、もろくも錦を脱いでしまう。泉ケ岳《いずみがたけ》に薄雪の見られる時はもう十二月で、市民もこれから三カ月の間冬ごもりをする。けれども寒さ肌に徹《とお》り、道行く人の下駄の音忙《せわ》しく、若者らが街道のたっぺい（氷辷《こおりすべり》）に騒ぐような日には五色沼《ごしきぬま》にスケートを走らせ、降り積む雪をスキーで郊外の丘をはせ回ることも出来る。新年を迎えると極寒が来て水道の栓の凍る朝もあるが、やがてまた春がまわってくる。

雪深き陸奥の原野も仲秋の空は清けく心さやけし

お迎へのその朝秋の亀入り来《く》（宮城分所瑞兆）　香　鹿

白茄子《しろなす》の白きあはれや秋の風（仙郷別院）　鳴　球

◇十月五日　宮城毎日新聞記事

大本教第二回講演会

五日五城館で

　過般、市公会堂において開催した大本教大演説会は、開会前より満員の盛況にて聴衆に多大の感動を与えたが、聴衆の熱望により五日午後六時より市内五城館において第二回大本教大演説会が開催される筈である、当夜の演題は左のごとし。一、天地人　信教宣伝使　吉原亨　一、大本教と四大主義　同　岩田久太郎

◇十月五日　仙台日々新聞記事

大本講演会

五日七時半より五城館に

二日市公会堂において開催の大本大講演会は満員の大盛会であったが、五日夕七時半より五城館にて第二回の大講演会を開催、講師および演題は▲天地人（信教宣伝使）吉原亨氏▲大本教旨と四大主義（信教宣伝使）岩田久太郎氏

◇十月五日　河北新報記事

大本教講演会

本日五城館に

大本教聖師出口王仁三郎氏は一日来仙、二日夜市公会堂において大講演会を開会したが、満員の大盛況を極めた。五日午後七時半より五城館において第二回講演会を開会のはず、講師および演題左のごとし。▲天地人吉原亨氏　▲大本教旨と四大主義　岩田久太郎氏

◇十月五日　東北報知記事

第二回大本教大講演会開催

今夕（五日）午後七時半より五城館において

今回市公会堂において開催の大本大講演会は満員の大盛会にて大感動を

あたえ、聴衆各位の熱望により今夕七時半より五城館にて第二回の大講演会を開催します。講師および演題は▲天地人　信教宣伝使　吉原亨氏。▲大本教旨と四大主義　信教宣伝使　岩田久太郎氏

十月六日　　於 仙郷別院

朝あけを雨ふりしきて庭の面《おも》畑の面《も》すがしく見えわたるかな
今朝《けさ》もまた歯痛やまなく雨のままあけし朝《あした》を伏してわび居《お》り

○

林子平《しへい》、名を友直《ともなお》といい、愛国の先覚者で蒲生《がもう》君平、高山彦九郎と並称される奇傑である。父 源五兵衛良直は幕臣だったが、ゆえありて籍を削られた。子平の姉が仙台藩主 宗村の側室だったので、兄 嘉膳（友諒）が仙台に仕えることになり、子平も二十歳のとき父とともに仙台に移る。

人となり、恬淡《てんたん》（注・心があっさりしていること）寡欲《かよく》（注・欲の少ないこと）、深く海防のことを憂い、健脚をもって海内《かいだい》（注・四海の内をいい日本国内の意）を周遊して地理を観察し、しばしば長崎にいで、外国人に接して海外の事情を問う。天明二年（一七八二年）オランダ船の図を描き、日本遠近外国新図を作り、同五年『三国通覧』を著して、朝鮮、琉球《りゅうきゅう》、蝦夷《えぞ》の事情を明らかにし、ついで国防の策を立てて、八年『海国兵談』十六巻を著し、寛政三年（一七九一年）までにこれを出版した。

けれども海内いまだ外冠《がいこう》のことを知らず、子平の説をもって無根のことを誇張して売名を計るものとなし、幕議もまたこれと同じく寛政四年五月仙台に禁錮《きんこ》し、版木をことごとく没収する。子平は兄の家に蟄居《ちっきょ》（注・家に閉じこもること）し、

親もなし妻なし子なし板木なし金もなければ死にたくもなし

と詠じて自ら六無斎と号した。

籠居《ろうきょ》百首の中に

世をおもふ言葉の梢《こずえ》たかければ枝をならさぬ風にあたれり

おろかにもははきとる手の妻あらば病の床にちりはつもらじ（注・ははき…箒《ほうき》）

千代ふりし書《ふみ》もしるさず海の国の守りの道をわれひとり見き

はかなしやひとつ心をちぢにくだき天地人《あめつちひと》をうらむおろかさ

とはれぬを心とむすぶ草の庵さすがに人をこふる夜ながさ

仰ぐぞよ千賀のしほがま神ならばわれを二たび世にかへしたまへ

翌五年（一七九三年）六月二十一日幽閉中に没す。年五十六。辞世に

すくふべき力のかひも中空のめぐみにもれて死ぬぞくやしき

遺書数種ある。天保十二年（一八四二年）幕府の赦《ゆるし》に遇《あ》い、初めて墓を修め碑を立てて「六無斎友直居士」と銘する。慶応元年（一八六五年）藩主は特に前哲の号を贈り、明治九年（一八七六年）六月聖駕（注・天子の乗り物）東巡の時岩倉右府《うふ》（注・右大臣、岩倉具視）をその墓に遣わされて祭資料を賜い、十二年墓側に三条太政大臣の篆額《てんがく》（注・篆字で書いた石碑の題字）、伊藤参議（注・伊藤博文）が斎藤竹堂（注・江戸後期の儒学者）の文によって作った撰文《せんぶん》の碑が立ち、十五年六月三日特旨をもって正五位を贈らる。桜ケ岡公園にたてた前哲林子平碑（大槻磐渓撰文）も墓側に移された。墓所は伊勢堂下龍雲院である。

支倉常長《はせくらながつね》、通称六右衛門といい政宗に仕え、文禄征韓の軍に従って功を樹てる。慶長十八年(一六一三年)、政宗 幕府に請うて牡鹿《おしか》郡月《つき》の浦《うら》で長さ十八間(約三三メートル)の帆船を造り四十五日で竣工した。そこで常長を遣欧使節に命じ数名の家臣を差し添い切支丹伴天連《ばてれん》スペイン人ソテロ、幕府船手頭《ふなてがしら》向井将監の家人十人、総勢日本人百五十人、西洋人四十人、将軍からノビスパン(注・現メキシコ)への贈物その他商賈《しょうこ》(注・商人)を載せて九月十五日月の浦を出帆した。

十月二十八日 ルソンに着き、それから太平洋を渡って翌年一月 ノビスパン国に着き、メキシコ府に入って太守に会い、一行洗礼を受け更に大西洋を航して、十月スペインに至り、ソテロの生地セビリアに入って、二十一日 政宗の書簡を贈り、十二月二十日 首府マドリードに入る。翌元和元年(一六一五年)正月三十日 常長、ソテロはフィリップ第三世に謁見《えっけん》して政宗の書簡と宝刀とを呈した。

二月、王室教会堂で国王臨御の上、常長に洗礼を行い、ドン・フィリペ・フランシスコと命名した。ついでローマに入り、十月二十九日盛んな入府式を行い、十一月三日をもって法王パウロ第五世に謁見の式あり、政宗の書簡および贈物を奉呈した。

十二月十二日、ローマ総政院は常長をローマ府民に編入し議員に列せしめ、法王はその油絵肖像と小剣二口とを政宗に贈る。かくて常長はソテロとともにスペインに帰り滞留すること数年、元和五年三月ノビスパンに帰り、六月二十日ルソンに着き、六年八月二十六日月の浦に帰着し、スペイン、ローマからの返書および贈物を齎《もたら》した。国を出てから八星霜一行中途に死するもの半ばに過ぎた。

常長は、元和八年（一六二二年）七月朔《ついたち》、没した、年五十二。その墓所は久しく分からなかったが、明治二十七年（一八九四年）光明寺中にこれを求め、四十一年紀功碑を立てた。

政宗が西洋に使節を送った真意については種々の説があるが、そのスペイン王およびローマ法王に贈った書簡には封内《ほうない》（注・領地）にキリスト教を布《し》くべく尽力するから、更に宣教師を送られたく、これがためにはあらゆる便宜を取り計《はか》うべき旨を述べてある。

あるいはいわく、常長の帰国の時の報告に西洋国、広大だけれども風気習俗ははなはだ柔弱であるから、わが兵をもって彼を征するならば、烈風を鼓して枯葉を掃うがごときのみとあった。

政宗これを聞いて一挙万里の思いが切だったけれども、この時キリスト教禁制の令ははなはだ厳重で、人その邪法なるを知って門に入るものがないゆえ、公議をはばかって台命《だいめい》（注・人の申し越しをいう敬語）を受けることできず、ついに征蛮の挙が、なかったのであると。しかして政宗の作と伝えられている詩がある。

欲征南蛮所作

邪法迷邦唱、欲征蛮国未成功、図南鵬翼何時奮、久待扶揺万里風。

○

巡教八十有余日。踏破北陸西又東。聖跡偏知神業大。雪山氷海悉春風。

高橋　守

昭和三歳盛夏空、発聖地宣伝神将、東北行程百有日、言霊花薫樺太島。

閑　楽

○

今朝、明光社より左の見舞いの電報あり。

オナヤミイカガゴキゲンヨキコトヲヒタスライノリタテマツル、メイコウシヤイチド

また茨城県北相馬郡中島熊五郎氏わざわざ左の電歌をたずさえ届け来りぬ。

蝦夷千島樺太島の果てかけて陸奥《みちのく》てらす岐美《きみ》ぞ畏《かしこ》き　対馬　上村、石田

某信徒より左の珍妙なる手紙を、ただ今 落手したれば、わが日記のペー

ジを割愛しおくべし。

拝復　今回は永々御巡業御若労様に奉孝候　なお先日もご親切様に御舞戴き誠に難有御厚礼申上候　余は御拝顔之節御礼申述候　不一

○

庭をこえ畠をこえて向かつ町すぎゆく人の見ゆる殿かな

雨あけの露しとどなるコスモスをわたる風冷ゆ歯をやみおれば

昨夜の講演会による共鳴者数名来談。岩手県勝又六郎、佐藤直文、晴山理吉使、青森市田端サキ子氏らは今日帰りゆきたり。長く同行せられしことをここに多謝す。

東の庭に仙郷別院の黒髪、白髯《しろひげ》、童顔の寒山拾得《かんざんじっとく》(注)、大泉多七、大谷喜蔵の両氏、箒《ほうき》片手に写真をとりおれば、われもまた端近くいでて雨晴れの庭の面、清《すが》しく眺め入りぬ。

【編者注】寒山拾得…寒山と拾得は共に唐代の詩僧。非僧非俗、風狂の徒だったが、仏教の哲理には深く通じており、寒山は文殊菩薩、拾得は普賢菩薩の再来とも呼ばれる。

いとどしく朝顔の花小さかり夏去り秋の風にふるえつ

芋《いも》の葉に渡らふ風の見ゆるなり庭木をすかし畑見る心地

写真師レンズをわが居間に向け別院の全景をとらんという。すなわち

仙台市　仙郷別院随行殿にて出口聖師と宣信徒

仙郷別院庭園における寒山（右、大泉氏）拾得（左、大谷氏）

われもまたその中に入りぬ。夕暮れ近く宮城毎日新聞社長松浦増一、同記者須藤北極、菊池元雄氏ら来訪、半切軸を請いぬ。今肩こりはげしければ後に贈るべきを約して帰らしめぬ。

雨の音全くやみて叢《くさむら》にすだく虫の音《ね》細し。更《ふ》けゆくままに眼さゆれば物語など聞きてようやく寝につきぬ。

憧憬《しょうけい》の仙台今日も雨となり

海見ゆるやかたに雨をしのぎけり

コスモスの花に聖地を偲《しの》びけり

色変へぬ松を植えさせ給ひけり（別院お手植え）香　鹿

行き抜ける郭の昼や秋の雨（お取次ぎに行く）鳴　球

◇十月六日　新潟新聞記事

◇取　消

拝啓　貴社ますますご清祥奉賀候《よろこびたてまつりそうろう》　陳《ちん》は昭和三年八月一日貴社ご発行新潟新聞紙上に「大がかりな出口氏の巡講」と題して新発田《しばた》市高橋屋旅館における小生の談話中、薄天鬼氏（注）に関する記事あり、小生が同氏に面識あるかのごとく記しあるも、事実一面識もなく、かつ談話の内容も相違の点不尠《すくなからず》候間、右全文ご掲載の上、該記事お取消相成度《あいなりたく》、このたび新聞紙条例により申込候也

十月四日　仙台市にて　出口王仁三郎

【編者注】薄天鬼…大正時代、中国東北部並びに内モンゴル自治区でで活躍した日本人馬賊、薄益三《うすきますぞう》。天鬼と呼ばれた。

＝東北日記　六の巻　終わり＝

本書新訂版は、出口王仁三郎著『東北日記』六之巻（昭和三年十二月十八日発行）を底本とし、原則として左のとおり校訂した。

大本教学研鑽所

新訂版『東北日記』凡例

一、漢字の旧字体は新字体に改めた。ただし現在も旧字を使用している固有名詞については原文のままとした。

常用漢字表外の漢字や読み方は、振り仮名を付すか平仮名に開いた。ただし「吾」「我」の漢字は、読みやすさに配慮して適宜、平仮名に開いたところがある。

詩歌においては、常用漢字表外の漢字であっても、原文を尊重し平仮名に開かず適宜読みを付してそのままとした。

一、動植物の名称については、時代の雰囲気を残す意図から、漢字表記のままとした。

一、底本における明らかな誤字・誤植は訂正した。

一、短歌や冠句などの詩歌は、原文を尊重し旧仮名遣いのままとした。

一、詩歌以外の文章については、現代仮名遣いに改めた。また、連体詞・接続詞・感動詞・助詞・助動詞は、平仮名書きを主体とした。副詞については訓読みの漢字は平仮名を原則としたが、慣用上、原文の漢字のままとしたものがある。

一、振り仮名は現代仮名遣いとした。ただし「みづみたま」など、大本用語として表記が定着しているものについては慣用に従い旧仮名遣いのままとした。

また、振り仮名を付した同じ漢字が連続する場合には、適宜、振り仮名を省いた。

また、底本には振り仮名が付されていなかった駅名・地名であっても、できるだけ読みを付した。

一、底本中にあった繰り返し符号（「ゝ」「ゞ」「〱」「〲」）の箇所については、漢字または平仮名書きにした。

一、読みやすさに配慮して読点・丸点・句点を新しく付した箇所、また読点を句点に差し替えた箇所がある。

一、文章量の多い段落は適宜小分けした。

一、時代の変遷により、現代においては分かりにくい風俗・社会背景・用語等については、解説を【編者注】などとして小活字にて付した。

一、一部の差別語・不快語については意味を変えずに言葉を改めた。また社会情勢の変化に伴い、現在では不快と受け取られかねない内容については一部削除した。

以上

新訂版『東北日記』五の巻 初版の左記の箇所の数字を訂正します。

			誤		正
五の巻	一四頁	八行目	海抜五〇〇尺	↓	海抜五、四〇〇尺
	四九頁	二行目	一八〇八年	↓	一八〇五年
	一七〇頁	五行目	一八二二年	↓	一八二一年
	一七二頁	二行目	一七六〇年	↓	一八六〇年
		五行目	一八七〇年	↓	一八六七年
		七行目	一八六五年	↓	一八六八年
	二〇四頁	一行目	一七〇三年	↓	一六九六年
	二〇五頁	四行目	一六八八年	↓	一六七四年
	二〇八頁	三行目	一七一六年	↓	一六八八年
			一七三六年	↓	一七〇四年

二七六頁　五行目

一二四九年　→　一二四七年

一二五六年　→　一二四九年

なお、右の箇所は再版にて訂正させていただきます。

新訂版《しんていばん》
東北日記《とうほくにっき》 六の巻《まき》

昭和 三年 十二月十八日 初 版発行
令和 二年 二 月 三日 新訂版発行

著者 出口 王仁三郎
編集 大本教学研鑽所
発行 株式会社 天 声 社

ISBN 978-4-88756-101-4